Jacobs · Der deutsche Schelmenroman

Artemis Einführungen

Band 5

Herausgegeben von
Peter Brang
Willi Erzgräber
Hans Fromm
Manfred Fuhrmann
Walter Hinck
Ulrich Mölk
Klaus von See

Der deutsche Schelmenroman

Eine Einführung

von Jürgen Jacobs

ARTEMIS VERLAG
MÜNCHEN UND ZÜRICH

Einband: Titelblatt der Erstausgabe des »Springinsfeld« Grimmelshausens von 1670.

CIP-Kurztitelaufnahme der Deutschen Bibliothek

Jacobs, Jürgen
Der deutsche Schelmenroman : e. Einf.
von Jürgen Jacobs
München ; Zürich : Artemis-Verlag, 1983
(Artemis-Einführungen ; Bd. 5)
ISBN 3 7608 1306 2

NE: GT

Gesamtherstellung: Friedrich Pustet, Regensburg
Printed in Germany

VORWORT

Dieses Buch will – entsprechend dem Programm der Reihe, in der es erscheint – kein literaturgeschichtliches Lehrwerk sein, das sein Thema systematisch und mit dem Anspruch auf Vollständigkeit abhandelt. Es begnügt sich damit, essayistisch in die Geschichte des deutschen Schelmenromans einzuführen. Sein Zweck wäre erfüllt, wenn es dem Leser zum Anstoß für weitere und intensivere Beschäftigung mit dieser reizvollen Literaturgattung würde.

Natürlich konnte der Verfasser nicht umhin, einiges historische Material auszubreiten und gelegentlich Thesen aus der umfangreichen gelehrten Literatur zu erörtern. Leitende Absicht blieb jedoch, die Lektüre nicht mit allzu viel Ballast zu beschweren und den Blick auf die besprochenen Romane nicht zu verstellen. Sollte der Leser durch diese Einführung noch nicht erschöpft sein, kann er in den knappen Hinweisen des »Bibliographischen Anhangs« eine erste Möglichkeit zu weiterer Orientierung finden.

INHALT

I

Die spanischen Ursprünge der Gattung – »Lazarillo de Tormes« – Mateo Alemán: »Guzmán de Alfarache« – Francisco de Quevedo: »El Buscón« – Vielfalt der pikaresken Gattung.

Guzmán de Alfarache, der Held des berühmten Romans von Mateo Alemán, ist seinem etwas dubiosen Zuhause entlaufen, um in der Welt sein Glück zu suchen. Auf dem Weg von Sevilla nach Madrid wird der unerfahrene, naive Bursche von den Wirten betrogen, er wird bestohlen und von Gerichtsbütteln mißhandelt. Zu seiner Mutter zurückzukehren, schämt er sich. So verkauft er auf dem Weg seine Kleider, um nicht betteln zu müssen. Als er schließlich in Madrid ankommt, besitzt er nur noch verschmutzte Lumpen und stößt daher überall, wo er sich um einen Dienst bewirbt, auf Mißtrauen und Ablehnung.

Das ist die Lage, die ihn auf eine neue Lebensbahn zwingt: »Als ich sah, daß ich verloren war, ergriff ich das Handwerk der blühenden Schelmerei *(el oficio de la florida picardía).*« In der Not hat er alle Scham verloren. Er geniert sich nicht mehr, Gaunerstreiche zu begehen oder niedrige Dienste anzunehmen. »Meine vorige Schüchternheit«, berichtet er, »verwandelte sich in Keckheit: Hunger und Scham sind niemals Freunde gewesen.« Guzmán wird Mitglied einer Diebesbande, dann Spieler und Betrüger. Bald schon gewinnt er Lust an dieser ungebundenen Existenz, die sich allen konventionellen Verpflichtungen entzieht: »Dieses Schelmenleben *(esta vida de pícaro)* hätte ich nicht um das beste meiner Vorfahren hingegeben.«

Der Weg des Guzmán de Alfarache zur »blühenden Schelmerei« zeigt paradigmatisch den Werdegang eines Picaro: Er führt aus einer zweifelhaften Herkunft in eine soziale Randposition, in der zur Sicherung des nackten Überlebens Mittel wie Betrügereien, Diebstähle, Falschspiel, Hochstaplereien und ähnliche bedenkliche Praktiken nötig werden. Moralische Gesichtspunkte werden verdrängt, ja die freche und einfallsreiche Übertölpelung anderer wird zur Quelle des Selbstgenusses. Auch wo der Picaro einen Dienst findet, wie Guzmán bei einem menschenfreundlichen Kardinal in Rom, kann er das Mausen nicht lassen, – jedenfalls so lange, wie er nicht von Reue und Skrupel gepackt wird und seinem Schelmenleben abschwört.

Mateo Alemáns »Guzmán« gilt als der eigentlich traditionsbildende Text in der Geschichte des Schelmenromans, und sein Held wurde bald schon auf den Titelblättern von Neuausgaben und Übersetzungen schlechthin »der Picaro« genannt. Schon zu Beginn des 17. Jahrhunderts hatte sich in Spanien das Bewußtsein von der Existenz der literarischen Gattung Schelmenroman ausgebildet. Das zeigt sich in jenem Kapitel des »Don Quijote« (I/22), in dem sich ein Galeerensträfling mit seiner Lebensgeschichte in die Reihe der pikaresken Romanfiguren stellt. Namentlich nennt er allerdings nur den Lazarillo de Tormes, mit dem die Geschichte des europäischen Schelmenromans begonnen hatte.

Der Autor des »Lazarillo« ist bis heute unbekannt geblieben. Das Werk erschien 1554 an drei Orten, in Burgos, Antwerpen und Alcalá de Henares. Die Literaturhistoriker versuchen diese Merkwürdigkeit mit der Vermutung zu erklären, daß alle drei Ausgaben auf einen verschollenen früheren Druck zurückgehen. Der »Lazarillo de Tormes« hatte großen Erfolg. Als die Inquisition 1559 ein Verbot gegen das Buch verhängte, verhinderte das nicht, daß im Ausland der Originaltext weiter gedruckt wurde. In Spanien allerdings erschien 1573 eine gereinigte Fassung, der »Lazarillo castigado«. Bis zum Anfang des 17. Jahrhunderts war das Buch in alle wichtigen europäischen Sprachen übersetzt.

Dieser erste pikareske Roman erzählt in seinen wenigen Kapiteln eine einfache Geschichte: Es geht um die Nöte eines Menschen aus den untersten Schichten der Gesellschaft, der leidvolle Erfahrungen im Dienst vieler Herren macht. Am Ende findet er ein bescheidenes Auskommen in einem kleinen Amt und unter der Protektion eines geistlichen Würdenträgers.

Die meisten Herren Lazarillos während seiner pikaresken Laufbahn sind Geistliche. Die auffälligsten Figuren dieser Reihe sind der geizige Priester, der Lazarillo fast verhungern läßt, der Ablaßverkäufer, der durch gerissene Betrugsmanöver den Absatz seiner Papiere fördert, und der Erzpriester, der Lazarillo zur Tarnung seiner Mätressenwirtschaft benutzt.

Aus der Reihe dieser klerikalen Typengalerie fällt die Schilderung eines völlig verarmten Hidalgo, dem nichts weiter als der Stolz auf seine Ehre geblieben ist und der sich von dem Brot ernähren muß, das sein Diener erbettelt. Die Unsinnigkeit seiner hochfahrenden Standesideologie enthüllt sich durch den Kontrast zu den elenden Lebensumständen. Wenn auch Lazarillo selbst die ständische Ordnung mit keinem Wort in Zweifel zieht, so geraten die aristokratischen Prätentionen doch dadurch ins Lächerliche, daß der streunende Schelm sich durch seine Erfahrung zum Mitleid mit den Hidalgos veranlaßt fühlt: »Und Gott ist mein Zeuge, wenn ich heute einen von seiner Art so stolz und prächtig daherkommen sehe, so ergreift mich heißes Erbarmen, denn wer weiß, ob er nicht ebensolche Pein leidet wie mein Herr.«

Die Lebensgeschichte des Lazarillo schildert eine mitleidlose Welt, die dem besitzlosen Außenseiter einen permanenten Kampf ums nackte Überleben aufzwingt. Die brutale Wahrheit dieser Welt erfährt Lazarillo in einer berühmten Schlüsselszene, die in fast allen Picaro-Romanen Parallelen findet. Es handelt sich um einen schockhaften Zusammenstoß mit der Realität, dessen Folge Desillusionierung ist:

> Wir zogen zur Stadt hinaus und kamen an die Brücke, vor der ein steinernes Tier steht, beinahe wie ein Stier anzusehen. Der Blinde [dem der junge Lazarillo diente] ließ mich nahe an das Tier herantreten, und als ich's tat, sagte er: »Lázaro, leg dein Ohr an den Stier, und du wirst drinnen großes Getöse hören.« Ich in meiner Einfalt glaubt's und gehorchte, und als er fühlte, daß ich den Kopf an den Stein gelegt hatte, holte er mit der Hand kräftig aus und gab mir eine gewaltige Maulschelle. Mein Kopf schlug so hart wider

den maledeiten Stier, daß mir die Beule noch nach drei Tagen weh tat. »Du Tölpel«, rief er, »merk dir, ein Blindenjunge muß selbst den Teufel noch in den Sack stecken!« und er lachte weidlich über den Spaß. Mir aber war, als erwachte ich in diesem Augenblick aus der Einfalt, darin ich als Kind hingeschlummert hatte, und ich dachte: Wahr ist's, was er sagt, ich muß die Augen offenhalten und auf der Hut sein, denn ich bin allein und muß sehen, daß ich meinen Mann stehe.«

Das ist Lázaros Initiation in die Welt, die erste Bekanntschaft mit ihrer Heimtücke, die nachhaltige Aufforderung zu Mißtrauen und rücksichtsloser Selbstbehauptung. Er lernt seine Lektion schnell, wie sich in den Streichen zeigt, durch die er sich mit Nahrung versorgt. An dem blinden Bettler, der ihn sadistisch quält, rächt er sich schließlich, indem er ihn – die Szene ist spiegelbildlich zu der Desillusionierung am steinernen Stier angelegt – gegen einen Pfeiler springen läßt, bevor er sich auf und davon macht.

Die Lebensgeschichte des Schelms ist nicht in einen religiösen Rahmen gestellt. Zwar redet Lazarillo dauernd von Gott, aber das hat nur redensartlichen Wert und begründet keine wirksame Lebensorientierung. Daß die christliche Religion oder zumindest ihre Erscheinungsform in der sozialen Wirklichkeit sehr kritisch dargestellt ist, zeigt sich in dem Umstand, daß keiner der Geistlichen im ganzen Buch praktische Nächstenliebe beweist oder sonst sein Leben an den religiösen Forderungen ausrichtet. Distanz zu christlichen Vorstellungen deutet sich ferner in der parodistischen Verwendung bestimmter Glaubensinhalte an. Ein Beispiel bietet die Szene, in der es dem hungernden Lazarillo gelingt, den Brotschrank seines Herrn mit einem Nachschlüssel zu öffnen. In diesem Augenblick sieht er »das Angesicht Gottes [. . .] in Gestalt der Brotlaibe.« Was in der christlichen Glaubenslehre als Mittel zum ewigen Leben gilt, das wird hier unter dem Aspekt des Hungers zum handfesten Mittel für die Fristung der irdischen Existenz. Die Bedeutung dieses Mittels ist so groß, daß der darbende Lazarillo das Brot kniend wie ein göttliches Wesen verehrt. Man kann diese Episode als fast blasphemischen Hinweis auf die Machtlosigkeit der Religion gegenüber der Not des irdischen Lebens verstehen: Die anerzogene religiöse Verehrungshaltung richtet sich nicht auf das Sakrament, sondern auf das Nahrungsmittel, das die vitale Not des Hungers lindern kann.

Das Bild der Welt, das dieser Roman entwirft, ist aus der Perspektive des Recht- und Besitzlosen gezeichnet. Man hat daher angenommen (die These stammt ursprünglich von Américo Castro), der Roman sei von einem Außenseiter der spanischen Gesellschaft des 16. Jahrhunderts, nämlich von einem Neuchristen jüdischer Herkunft, verfaßt worden. Das ist zwar nicht beweisbar, aber ohne Zweifel verrät das Buch den scharfen und schonungslosen Blick des Outcast. Allerdings läßt das Werk keinen revolutionären Geist spüren; es formuliert seine Kritik auf indirekte Weise, unter Vorschieben einer Figur, die solchen Erkenntnissen gar nicht gewachsen war und solche Erkenntnisse auch gar nicht wollte. Die Funktion der autobiographischen Erzählweise liegt darin, daß sie eine scheinbar naive, in Wahrheit aber hochironische Darstellung ermöglicht.

Lazarillos einzige Absicht ist es, sein Leben ohne Bedrohung durch Hunger und Gewalt zu fristen. Ist das erreicht, dann fühlt er sich – wie am Ende des Romans – im »Wohlstand und auf dem Gipfel all meines Glücks«. Er vermeidet ängstlich, dieses Glück dadurch zu gefährden, daß er durch unerwünschte Gedanken Anstoß erregt. Er spürt, daß die Wahrheit ihn nur in Unannehmlichkeiten brächte und hält daher beharrlich an seiner Lebenslüge fest. Das deutlichste Beispiel dafür bietet er, als er auf die wohlgemeinten Hinweise, seine Frau sei die Mätresse des Erzpriesters, gegen allen Augenschein antwortet: »Der ist mein Freund nicht, der mich ärgern will, und erst recht nicht, wenn er Zwietracht zwischen mir und meinem Weibe säen will, denn sie ist mir das Liebste auf der Welt.« Der Leser kann keinen Zweifel haben, daß Lazarillo die Realität verkennen will und daß er gravierende Verdachtsmomente verdrängt. Aus der Diskrepanz zwischen Lazarillos Worten und dem, was sich aus ihnen erschließen läßt, ergibt sich eine Ironisierung und Distanzierung.

Ironisch zu nehmen ist schon, daß Lazarillo seinen Lebenslauf mit einigem Stolz als Erfolgsgeschichte hinstellt. Denn erreicht hat er am Ende nur die niedrigste Stelle in der spanischen Ämterhierarchie, die eines Ausrufers, die ihren Inhaber eher disqualifizierte als auszeichnete. Und der Preis, den er für seine ökonomische Sicherung zahlt, nämlich daß er das Verhältnis seiner Frau zum Erzpriester duldet, dieser Preis bedeutet Entehrung und Selbstaufgabe.

Offenbar hat der Autor des »Lazarillo de Tormes« die Hauptfigur zum Vehikel einer Darstellungsabsicht gemacht, die er direkt nicht aussprechen wollte oder konnte. Die Naivität des mit sich und der Welt zufriedenen Lazarillo sichert dem Buch eine vordergründige Harmlosigkeit, hinter der sich allerdings scharfe satirische Kritik verbirgt. Diese Kritik richtet sich nun kaum auf den naiven Autobiographen (den der Leser sogar bis zu einem gewissen Grad sympathisch findet), sie richtet sich vielmehr auf die Welt, in der sich der Picaro bewegt. Deren Korruptheit und Bosheit, die Lazarillo selbst gar nicht kritisiert, wird im Spiegel seines Lebensberichts für den Leser klar erkennbar. Daß die Satire in diesem Roman gemäßigt und wenig aggressiv scheint, ergibt sich, wie man mit Recht festgestellt hat, nicht durch maßvolle Zurückhaltung bei der Auswahl der Themen, sondern durch die kunstvolle epische Inszenierung in der Form einer fiktiven, scheinbar naiven Autobiographie.

Erst fünfzig Jahre nach dem »Lazarillo de Tormes« erschien mit dem »Guzmán de Alfarache« jenes Buch, das sofort zum Muster für eine ganze Reihe anderer Romane wurde und damit traditionsbildende Bedeutung für die pikareske Gattung bekam. Mateo Alemáns »Guzmán« (1599/1604) ist ein umfangreiches, vielschichtiges und formal hochkomplexes Werk. Zusammengehalten ist es von einer moralisch-pädagogischen Absicht, die dem Leser immer wieder verdeutlicht wird. Der Untertitel des Zweiten Teils nennt das Buch einen »Wachtturm über dem Menschenleben« (*Atalaya de la vida humana*), und die Vorrede mahnt: »Sieh zu, daß du liest, was du liest, und nicht über die Fabel lachst und dadurch ihre Moral verpaßt.« Der Erzähler (das heißt Guzmán selbst, der seine Lebensgeschichte vorträgt) ist stets bemüht, dem Leser die moralischen Resultate seiner Erfahrungen einzuschärfen. An einer bezeichnenden Stelle schreibt er: »Ich bekomme hier die Prügel, du aber die Lehren, die sie enthalten.«

Das epische Gerüst des Buches bildet natürlich die Lebensgeschichte des Picaro, die in zahlreichen Episoden ausgebreitet wird. Daneben steht eine Fülle kurzer Anekdoten und Beispielserzählungen. Außerdem sind dem Roman fünf größere Novellen eingefügt, die meist Liebesverwicklungen behandeln. Großen Raum beanspruchen Exkurse mit predigthaften und sozialkritischen Erörterungen, zu denen der Erzähler immer wieder ausholt. Er beschäftigt sich zum Beispiel mit dem Thema der Rachsucht und dem Prinzip der Feindesliebe, er behandelt den Begriff der Ehre und die falsche Scham, die den Menschen ins Unglück treibt, und er traktiert das Walten der Fortuna und die Eitelkeit der Welt. Neben solchen allgemeinen, religiös-erbaulichen Räsonnements stehen konkretere sozialkritische und rechtspolitische Überlegungen. Sie beklagen die Korruption der Justiz, schildern den Mißstand des Kreditbetruges, prüfen die Berechtigung bestimmter Abgaben bei Grundstücksverkäufen, entlarven die dubiosen Motive der Weiber beim Heiraten und kommentieren das Verhältnis zwischen Armen und Reichen.

Diese ausführlichen Reflexionen und Predigten werden im Text des Romans selbst gegen Einwände verteidigt. Der Gesichtspunkt, daß die Exkurse die Einheit des Ganzen gefährden könnten, wird nicht sonderlich ernst genommen, da der Roman keine strenge Formkonvention kennt, die Abschweifungen nicht zuließe. Bedeutsamer ist schon die Frage, ob nicht gegen die Erwartungen der Leser verstoßen wird, wenn allzu ernsthafte und langwierige Reflexionen den Gang der Erzählung aufhalten. Dieses Bedenken wird indessen im Blick auf den höheren Zweck der Belehrung beiseitegeschoben.

Problematisch könnte das Moralisieren des Erzählers vor allem deshalb erscheinen, weil es ein Schelm, ein Krimineller und Galeerensträfling ist, der hier das Wort führt und dem doch wegen seiner bedenklichen Lebensgeschichte die Rolle des Sittenlehrers nicht recht ansteht. Diesem Einwand wird entgegengehalten, daß alle, auch der Picaro, Verstand besitzen und daß auch er deshalb zu brauchbaren Erkenntnissen kommen kann. Die »Erklärung zum Verständnis dieses Buches«, die dem Ersten Teil vorangestellt ist, sucht von vornherein klarzustellen, warum Guzmán trotz seiner pikaresken Vergangenheit als moralische Autorität auftreten kann: Er hat sich, so erfährt der Leser, auf den Galeeren bekehrt und allen bösen Neigungen abgeschworen; im übrigen hat er – während theologischer Studienjahre auf der Universität – eine gute literarische Bildung genossen. Es besteht somit kein Anlaß, dem Picaro mit Vorbehalten zu begegnen: »Es dürfte nämlich [. . .] der Vernunft sehr wohl entsprechen, einem Menschen, der einen klaren Verstand besitzt, dem die Wissenschaften zugutekommen, den die Zeit gezüchtigt hat und der die Muße auf der Galeere ausnützt, Vernunft zuzubilligen.«

Trotz solcher Kommentare bleibt eine gewisse Spannung zwischen der Schilderung der pikaresken Abenteuer und den frommen Reflexionen bestehen. Die Erzählfreude, mit der die farbigen Gauner-Episoden vorgetragen werden, tritt in einen unübersehbaren Kontrast zu der Ernsthaftigkeit der predigthaften Passagen, in denen die Picaro-Existenz streng verurteilt wird. In diesem Gegensatz spiegelt sich die Grundstruktur des autobiographischen Erzählens, in dem sich immer ein früheres, erlebendes und ein gegenwärtiges, berichtendes Ich gegenübertreten. In Mateo Alemáns Roman steht der Picaro, der sich bedenkenlos auch krimineller Mittel bedient, um sich durch die Welt zu schlagen, neben dem bekehrten Guzmán, der seine eigene Vergangenheit kritisch sieht und sie als warnendes Beispiel interpretiert. Der damit etablierte Widerspruch ist in der Darstellung nicht ausgelöscht, da die Ebene der pikaresken Abenteuer mit mehr Lust ausgestaltet ist und den Leser mit ihren bunten Verwicklungen stärker in ihren Bann zieht, als es nach den strengen Maximen des gereiften Guzmán (und damit nach der offiziellen Moral des Buches) eigentlich zulässig wäre.

Im Vergleich zu seinem Vorläufer Lazarillo hat Guzmán einen bedeutend größeren sozialen Spielraum gewonnen. Es gelingt ihm zeitweilig, die Rolle des Benachteiligten und Getretenen zu verlassen und in die Rolle des Herren zu schlüpfen, prätentiös aufzutreten und große Geschäfte abzuwickeln. Allerdings bleibt er auch in den Phasen des Erfolgs in einer prekären, stets gefährdeten Position. Guzmán ist auch viel eindeutiger kriminell als Lazarillo. Dieser hatte sich meist nur einfachen Mundraub in der Notlage quälenden Hungers zuschulden kommen lassen; Guzmán dagegen schreckt vor dreisten Betrügereien nicht zurück, die ihm ansehnliche Reichtümer einbringen.

Allerdings zeigen Lazarillo und Guzmán auch eine Reihe von Affinitäten, die sie beide als Mitglieder der pikarischen Zunft ausweisen. Beide stammen aus zweifelhaften Verhältnissen, und beider Väter haben sich bereits Betrügereien zuschulden kommen lassen. Guzmán wird zum Landstreicher, weil im Haus der Mutter materielle Not den Einzug gehalten hat und weil er das Verlangen fühlt, »die Welt zu sehen« und die in Italien ansässige Verwandtschaft kennenzulernen. Schon am ersten Abend nach seinem Ausreißen macht Guzmán die Bekanntschaft mit der Erfahrung des Hungers, dann folgt auch für ihn die Einweihung in die Schlechtigkeit der Welt, die Lazarillo am steinernen Stier erlebt hatte. Indem er sich an die bösen Bräuche anpaßt, wird er zum Picaro: »Alle spielten und fluchten, alle stahlen und bestachen: ich tat nichts anderes als sie, und kleiner Anfang führt zu großem Ende«.

In den moralisierenden Überlegungen zu seiner Lebensgeschichte muß Guzmán notwendig auf die Frage stoßen, wieso er in die Niederungen moralischer Verderbtheit, der Gottverlassenheit und des Verbrechertums geraten konnte. Muß er sich die Korruption seines Charakters als Schuld zurechnen, oder ergibt sie sich aus der natürlichen Anlage des Menschen? Diese Frage ist theologisch hochbedeutsam: Ihre Beantwortung hängt davon ab, wie weit die Wirkung der Erbsünde reicht und ob dem Menschen ein freier Wille zugebilligt wird. Das waren zentrale Probleme des Tridentinischen Konzils, und Alemán behandelt sie ganz im Sinne des gegenreformatorischen Katholizismus.

Zu den Anfängen seiner pikarischen Laufbahn bemerkt Guzmán: »Meine Natur war gut [. . .], ich verdarb sie nur und verwaltete sie schlecht. Das aber lehrten mich die Not und das Laster: ich paßte mich den anderen Dienern und Gesindsleuten des Hauses an.« Es besteht kein Anlaß, Guzmáns Selbstbeschuldigungen nicht ernst zu nehmen und die Ursachen für sein bedenkliches Verhalten allein in der Umwelt zu suchen. Nur wenn von Schuld gesprochen werden kann, von einem vorwerfbaren Nachgeben gegenüber der Schlechtigkeit, kann die Geschichte des Picaro als mahnendes Beispiel verstanden werden, das den Leser dazu bringen soll, von seiner eigenen Freiheit einen besseren Gebrauch zu machen.

Aus der religiösen Perspektive des Buches erklärt sich der düstere Pessimismus, mit dem die Welt immer wieder als Ort radikaler und unheilbarer sittlicher Verderbtheit geschildert wird: »Man sollte nicht auf bessere Zeiten warten oder meinen, die Vergangenheit sei besser gewesen. Alles war, ist und bleibt genauso, wie es ist. Der erste Vater war aufsässig, die erste Mutter verlogen und der erste Sohn ein Räuber und Brudermörder.« Neben dieser pauschalen Ablehnung der Welt, die zur Forderung nach frommer Einkehr und Abkehr führt, findet sich in Alemáns Roman auch eine auf konkrete Übelstände der spanischen Gesellschaft gerichtete Kritik. Sie wendet sich gegen den Materialismus, der die Gemüter beherrscht und zu den Idealen früherer Epochen in krassem Widerspruch steht. Und sie attackiert die zynische Mißachtung und den Mißbrauch der christlichen Religion, auch wenn sich eine scharfe Kleriker-Satire, wie sie im »Lazarillo« begegnete, hier nicht findet. Man weiß, daß Mateo Alemán jüdischer Abstammung war und daher als »Neuchrist« *(Converso)* in der spanischen Gesellschaft seiner Zeit zu einer Gruppe diskriminierter Außenseiter gehörte. Diese Erfahrung schärfte ganz offensichtlich seinen kritischen Blick und spiegelt sich in seinem Roman.

Dem sozialkritischen Aspekt haben neuere Interpreten des »Guzmán« eine zentrale Bedeutung eingeräumt. Allerdings wäre es eine verzerrende Einseitigkeit, wenn man die religiösen Komponenten des Textes für nebensächlich hielte oder sie bloß als Vorwand, als Mittel zum kritischen Zweck betrachten wollte: Zu deutlich ist der Lebensgang des Picaro als Exempel für den Weg des Sünders zum Heil angelegt, zu nachdrücklich artikuliert sich auch die religiös fundierte Weltverneinung.

Nach dem Erscheinen des »Guzmán« im Jahre 1599 kam es zu einem raschen Aufblühen des Picaro-Romans in Spanien. 1602 erschien ein falscher zweiter Teil des »Guzmán«, außerdem wurden zwischen 1599 und 1603 neun neue Ausgaben des »Lazarillo« gedruckt. Bald schon kam man auf den Einfall, die Rolle des Schelms mit einer Frau zu besetzen. Das erste Beispiel für diese Variante der Gattung bietet López de Úbedas »Pícara Justina« von 1605, ein Buch, das man neuerdings als eine Art Schlüsselroman für die Hofgesellschaft zu interpretieren versucht. Eine weibliche Hauptfigur hat auch Salas Barbadillos »Tochter der Celestina« (1612). Zu nennen wäre noch als einflußreiches Beispiel Vicente Espinels »Leben des Schildknappen Marcos de Obregón« (1618), dessen Held schon wegen seiner adligen Herkunft nicht in so radikaler Außenseiterschaft steht wie die meisten früheren Picaros.

Der bedeutendste spanische Picaro-Roman nach den beiden traditionsbegründenden Werken »Lazarillo de Tormes« und »Guzmán de Alfarache« ist Francisco Quevedos »Buscón« (*Historia de la Vida del Buscón, llamado Don Pablos*, erschienen 1626, geschrieben wohl schon 1603). Das Buch knüpft äußerlich eng an die Konventionen der Gattung an: Es benutzt die autobiographische Erzählform, es führt die Ereignisse in linearer Chronologie vor und schildert ein bewegtes Gaunerleben. Wie die meisten Picaros entstammt auch der Buscón (zu deutsch: Langfinger) zweifelhaften Verhältnissen. Der Vater ist ein diebischer, mehrfach bestrafter Barbier, die Mutter stammt aus einer *Converso*-Familie und betätigt sich als Kupplerin und Hexe. Beide Eltern versuchen den Sohn jeweils auf ihre Laufbahn zu ziehen. Der junge Pablos aber erklärt, er wolle sich »entschieden der Tugend befleißigen und mit guten Vorsätzen weiterkommen«. Es versteht sich, daß ihm diese frommen Absichten bald ausgetrieben werden, als er die Erfahrung des Hungers macht und die Bosheit, die Lieblosigkeit und die Aggressivität der Mitmenschen kennenlernt. Der Augenblick der Desillusionierung tritt ein, als Pablos in Alcalá, der Universitätsstadt, in die er als Diener eines jungen Adligen gekommen ist, von den Studenten und deren Bedienten böse malträtiert worden ist:

> »Mach's wie Du's siehst«, heißt ein Sprichwort, und es hat recht damit! Als ich über das Sprichwort nachdachte, kam ich zu dem Entschluß, mit den Schurken ein Schurke zu sein und, wenn möglich, ein größerer noch als alle zusammen *(vine a resolverme de ser bellaco con los bellacos, y más, si pudiese, que todos).*

Der Roman eröffnet einen Einblick in die sinistre und gewalterfüllte Unterwelt der Gesellschaft, in die Sphäre der Bettler, Betrüger, Raufbolde und der durch Ehrlosigkeit aus der sozialen Ordnung Ausgeschlossenen (ein Onkel Pablos' ist Henker).

Schon in früher Jugend hat Pablos »Kavaliersgedanken«, die ihn später dazu verleiten, sich in der Verkleidung eines begüterten Edelmannes um ein vornehmes Fräulein zu bemühen. Er scheitert daran, daß seine Vergangenheit ihn einholt: Seine Identität als Sohn des gehenkten Barbiers wird entdeckt, und das hochstaplerische Unternehmen endet mit einer schmählichen Niederlage. Das Buch schließt damit, daß Pablos sich zusammen mit der Prostituierten Grajal nach Amerika begibt, wovon er in einem (nicht mehr erschienenen) zweiten Teil seiner Lebensgeschichte berichten will. Gebessert hat er sich bis zu diesem Zeitpunkt nicht, vielmehr bezeichnet er sich selbst als »hartgesottenen Sünder«.

Offenbar hat die Picaro-Figur hier lediglich die Funktion, einen amüsanten Erzählstoff, nämlich die Schilderung der kriminellen Subkultur der spanischen Gesellschaft und den hoffnungslosen Kampf des verachteten Außenseiters um sozialen Aufstieg episch vorzuführen. Jedenfalls ist der Picaro hier nicht durch moralisierende Kommentare zum mahnenden Exempel oder zum Muster für Reue und Besserung erklärt. Das kriminelle Verhalten des Buscón ist abgeleitet aus der Unzufriedenheit mit seiner sozialen Lage und aus seiner unedlen Natur. Die schmerzhaften Kollisionen mit der Bosheit der Welt und das Scheitern bei den ehrgeizigen Bemühungen um sozialen Aufstieg werden ohne Mitleid geschildert. Ganz offensichtlich betrachtet Quevedo den pikaresken Helden seines Romans aus großer, verachtungsvoller Distanz. Nicht ohne Grund hat man angenommen, Quevedos Buch führe die Torheit und die Vulgarität des Buscón nur zur Unterhaltung einer aristokratischen Leserschaft vor.

Die Autobiographie dieses Picaro ist in einer höchst kunstvollen, witzigen, literarisch anspruchsvollen Sprache formuliert, die ganz offensichtlich unter dem Einfluß des »Conceptismus« steht. Baltasar Gracián hatte das »Sinnspiel« *(concepto)* definiert als »Akt des Verstandes, der die Entsprechung zwischen zwei Gegenständen ausdrückt.« Conceptistische Kunst basiert demnach auf überraschenden Vergleichen und Sprachspielen, durch die heterogen scheinende Dinge zueinander in Bezug gesetzt werden.

Wenn der conceptistische Witz den Text des Romans beherrscht, dann liegt offensichtlich eine realistische, auf Wahrscheinlichkeit abzielende Erzählabsicht nicht vor. Unverkennbar drängt Quevedos Darstellung ins Groteske, in die Übertreibung, in ein artistisches Spiel mit Vorstellungen und Worten. Ein Beispiel bietet die Schilderung des Internats, in dem die Schüler durch den Lizentiaten Cabra dem fürchterlichsten Hunger ausgesetzt werden. Pablos berichtet:

> Dann mußte ich den anderen die erste Deklination vorlesen. Mein Hunger war so groß, daß ich die Hälfte der Worte frühstückte, indem ich sie verschluckte. Das alles wird mir glauben, der erfährt, was mir Cabras Bedienter erzählte; der

> sagte mir, er habe kurz nach seiner Ankunft gesehen, wie zwei friesländische Pferde ins Haus geführt wurden, die nach zwei Tagen als so leichte Klepper wieder fortliefen, daß sie beinahe durch die Luft flogen; auch habe er gesehen, wie man feiste Bullenbeißer hereingebracht habe, die nach drei Stunden als schnellfüßige Windhunde davongerannt seien.

Das Feuerwerk conceptistischer Einfälle ist das entscheidende Stilmerkmal von Quevedos Roman. Allerdings bleiben auch in »El Buscón« starke satirische Elemente spürbar, die sich in zahlreichen pointenhaften Seitenhieben und in Attakken auf einzelne Personen zeigen. Am auffälligsten ist jedoch der Spott über das Bemühen Pablos' und anderer Figuren, sich eine gesellschaftlich geachtete Stellung durch den Nachweis einer altchristlich-adligen Herkunft zu sichern.

Quevedo verzichtet darauf, seinen Picaro als lehrreiches moralisches Exempel vorzuführen und an ihm den Segen einer religiös motivierten Umkehr von der Bahn des Bösen zu demonstrieren. In der Vorrede bekennt er sich offen zur Erzähl- und Leselust am Treiben des gerissenen Gauners:

> Ich bin sicher: Niemand kauft sich ein Spötterbuch, um sich dann den Reizen seiner verderbten Natur zu verschließen. Doch wie dem auch sei: Spende ihm den Beifall, den es verdient! Und wenn du über seine Späße lachst, so preise den Geist dessen, der weiß, daß es mehr Vergnügen macht, ein Schelmenleben, anmutig geschrieben, kennenzulernen als andere gewichtige Erfindungen.

Der Picaro selbst ist für Quevedo weniger eine moralisch und psychologisch ernstgenommene Gestalt als eine Kunstfigur, aus deren Außenseiter-Perspektive er ein bizarr verfremdetes Bild der Welt entwirft. Im ganzen ist »El Buscón«, trotz allen Witzes und trotz aller sprachlichen Spielfreude, von einem düsteren, pessimistischen Grundzug geprägt. Die Welt erscheint als die Sphäre der Bosheit, der Grausamkeit, des Betruges, auch die Schlechtigkeit des Picaro ist nur ein Symptom der allgemeinen Verderbtheit. Der Roman zeigt ja, wie Pablos trotz seines anfänglichen Bekenntnisses zur Tugend auf die Seite der Schelme gedrängt wird: Als ihn die Erfahrung gelehrt hat, wie es unter den Menschen zugeht, beschließt er, sich anzupassen.

Das desillusionierte Bild der Welt, das hier sichtbar wird, entspricht in der Tendenz durchaus der christlichen Ablehnung des sündhaften Diesseits, die auch im »Guzmán« zu spüren war. Aber hier im »Buscón« fehlt der Blick auf eine Wahrheit und Rettung im Jenseits; jedenfalls wird dieses Motiv im Text des Romans selbst kaum einmal hörbar. Die Welt erscheint im grellen Blitzlicht der conceptistischen Einfälle als Schauplatz des brutalen Kampfes der Egoismen, des Betruges und der Heimtücke.

Mit »El Buscón« tritt eine neue, ganz selbständige Variante des pikaresken Romans nach dem »Lazarillo« und dem »Guzmán« hervor. Mit diesen drei Werken zeigt sich schon in den ersten Anfängen der Gattung, wie vielfältig die Möglichkeiten des pikaresken Erzählens sind und wie wenig sich die Gattung auf ein eng definiertes Schema festlegen läßt. Der »Buscón« hebt sich vor allem durch die Bewertung des Picaro von seinen Vorgängern ab. Im »Lazarillo« und im »Guzmán« war der Schelm als Opfer der Gesellschaft dargestellt worden. Scharfe Sozialkritik richtete sich gegen die Amtsträger der Kirche und gegen die moralisch korrumpierte Gesellschaft. Mit Recht hat Richard Bjornson festgestellt, daß bei Quevedo diese kritische Tendenz gleichsam auf den Kopf gestellt sei. Denn hier steht nicht mehr die Anklage gegen die Diskriminierung von Mittellosen und Außenseitern im Hintergrund der Erzählung, sondern jetzt richtet sich höhnisches Gelächter gegen den Schelm, der seine unterprivilegierte Stellung nicht akzeptieren will und sich mit allen Mitteln bemüht, aus Armut und sozialer Mißachtung herauszufinden, wobei er mit Notwendigkeit scheitert.

Gelegentlich hat man die Auffassung vertreten, Quevedos Roman bedeute einen »historischen Rückschritt« gegenüber »Lazarillo« und »Guzmán« (H.G. Rötzer). Eine solche Feststellung ist allerdings mißverständlich. Sie ist offenbar als Wertung der moralischen Tendenz des Buches gemeint, das seinen mitleidlosen Spott für den chancenlosen Picaro von der aristokratischen Position aus formuliert. Wenn man der historischen Entwicklung Europas eine durchgängige Tendenz zur Herstellung von Egalität zuschreiben will, dann muß in der Tat jedes Werk, das die sozialen Differenzen betont, als »rückschrittlich«, das heißt: als im Widerspruch zum globalen historischen Prozeß stehend erscheinen. Man darf allerdings nicht übersehen, daß zu Beginn des 17. Jahrhunderts die ständische Ordnung noch fest gefügt war und daß damals noch nicht (wie im späteren 18. Jahrhundert) bürgerliche Gleichheits-Forderungen auf der Tagesordnung standen. Als ästhetisches Werturteil ist die These von der Rückschrittlichkeit des »Buscón« kaum haltbar. Das Buch hat unbestritten hohen literarischen Rang. Sein Reiz für den Leser des 17. Jahrhunderts muß wohl gerade auch im parodistischen Verhältnis zu den früheren Picaro-Romanen, das heißt in der Umkehrung von deren Tendenz, bestanden haben. Das Beispiel dieses Romans lehrt, daß es nicht möglich ist, die Gattung auf eine bestimmte kritische Funktion festzulegen, – es sei denn, man wolle ein Buch wie den »Buscón« aus der Gattung hinausdefinieren.

II

Theoretischer Exkurs: Probleme einer Gattungsdefinition des Schelmenromans.

Als pikareske Romane haben die spanischen Autoren und Leser des 17. Jahrhunderts offenbar ganz einfach solche Erzählwerke verstanden, in denen ein Held nach dem Muster des Lazarillo oder des Guzmán, eben ein Picaro als Hauptfigur auftrat. Eine solche Gattungsvorstellung spiegelt sich bereits im Titelkupfer der »Pícara Justina« von 1605, das Guzmán, die *Madre Celestina* und Justina auf einem allegorischen »Schiff des Schelmenlebens« vorführt, neben dem Lazarillo auf einem kleinen Boot daherrudert. Das allegorische Bild stellt die pikareske Existenz in die Spannung zwischen dem Genuß des Augenblicks einerseits und dem düsteren Gedanken an den Tod und die Eitelkeit der Welt andererseits: Im Mastkorb des Schiffes sitzt Bacchus, und eine Flagge zeigt die Devise *El gusto me lleba* (etwa: Ich tu, was mir gefällt). Im Hintergrund des Bildes jedoch wird ein Hafen sichtbar, bei dem ein Gerippe ein ovales Schild, vielleicht einen Spiegel, emporstreckt, auf dem das Wort *Desengaño* (Enttäuschung, Ernüchterung, Desillusionierung) und zwei gekreuzte Knochen zu sehen sind.

Auch wenn sich bereits in diesem bedeutungsbefrachteten Titelbild, mit dem sich ein früher pikaresker Roman seinem Leser präsentiert, eine deutliche Vorstellung der neuen Gattung ausspricht, so haben doch die späteren Theoretiker und Geschichtsschreiber der Literatur bei einer solchen begrifflich unentfalteten Bestimmung nicht stehen bleiben können. Allerdings sind sie bei ihren Definitionsversuchen vor beträchtliche Schwierigkeiten und Meinungsverschiedenheiten geraten. Schon die Abgrenzung gegenüber anderen Typen des Romans ist umstritten. Bald hat man den Picaro-Roman ohne nähere Differenzierung dem Abenteuerroman zugerechnet, bald hat man diese beiden Kategorien scharf voneinander abheben wollen. Auch hinsichtlich des Bildungsromans bestehen offenbar

Schwierigkeiten der Abgrenzung: Manche Kritiker verstehen die Entwicklungs- und Bildungsromane als Varianten des pikaresken Genres, andere sehen hier deutliche Differenzen. Gelegentlich hat man gar empfohlen, den Begriff des Picaro-Romans überhaupt nicht mehr zu verwenden, weil die Werke, die man mit diesem Gattungsbegriff zusammenordnen wolle, allzu unterschiedlich seien. Mit dem Hinweis, daß die einzelnen literarischen Texte höchst individuelle, inkommensurable Gebilde seien, die man klassifizierenden Begriffen nicht unterwerfen könne, läßt sich natürlich jeder Gattungsbegriff zweifelhaft machen. Die Frage ist nur, ob man bei solcher Argumentation nicht das Kind mit dem Bade ausschüttet und ein wertvolles Instrument zur Aufgliederung und Ordnung des überlieferten Textbestandes aufgibt.

Bei den zahlreichen Definitionsversuchen zum Gattungsbegriff des pikaresken Romans lassen sich ein restriktives und ein extensives Verständnis des Terminus unterscheiden. Eine ganze Reihe von Literaturhistorikern hat vorgeschlagen, man solle den Begriff des Picaro- oder Schelmenromans nur auf bestimmte spanische Texte der Zeit zwischen 1554 und 1650 anwenden, allenfalls noch auf solche nicht-spanischen Werke, die einen unmittelbaren Einfluß der Originale erkennen lassen. Nur bei solcher Beschränkung behalte der Begriff einen deutlich umreißbaren Inhalt.

Die Anhänger eines extensiv verstandenen Gattungskonzepts dagegen definieren die Charakteristika des Schelmenromans so weit, daß sie auch Werke des 20. Jahrhunderts noch erfassen. Dabei wird der Picaro bisweilen mit so allgemeinen und so neu akzentuierten Formeln beschrieben, daß die Protagonisten der älteren Schelmenromane nur noch sehr entfernt oder überhaupt nicht mehr als Muster anerkannt scheinen. So hat man beispielsweise vorgeschlagen, in der Figur des »pikaresken Heiligen«, eines christusähnlichen, aber auch von menschlichen Schwächen gezeichneten Außenseiters, eine Symbolfigur des modernen Romans zu sehen. Andere Kritiker versuchen, das Konzept eines »neopikaresken« Romans zu entwickeln, der noch gewisse Spuren der älteren Schelmenromane erkennen läßt, aber doch in der Anlage der zentralen Figur, der Bauform der Erzählung und in der ideellen Orientierung entschieden neue Charakteristika zeigt.

Bei einer solchen Ausdehnung des Gattungsbegriffs drohen Unklarheiten zu entstehen: Die Gefahr ist offensichtlich, daß unter einer großzügig definierten Formel allzu heterogene Gegenstände zusammengefaßt werden und daß sich daher mit dem Begriff des pikaresken Romans keine klar profilierte Vorstellung mehr verbindet. Um dieser Schwierigkeit auszuweichen, ist gelegentlich der Versuch gemacht worden, beispielsweise von Claudio Guillén in einer vielbeachteten Abhandlung, einen engeren und einen weiteren Gattungsbegriff nebeneinander zu verwenden. Als pikareske Romane in striktem Sinn könnte dann nur eine begrenzte Zahl von Texten anerkannt werden, die genau bestimmte, anhand der klassischen Muster festgelegte Merkmale aufweisen. In einem weiter gefaßten Sinn ließe sich von pikaresken Romanen dort sprechen, wo einzelne dieser Merkmale vorliegen, andere jedoch fehlen.

Ein solches Nebeneinander von restriktiver und extensiver Fassung des Gattungsbegriffs droht nun aber die Nachteile beider Definitionsansätze zu verbinden: Die Versuche zu einer strengen Bestimmung der Gattung geraten schon dadurch in Schwierigkeiten, daß bereits die spanischen Beispiele keineswegs ein einheitliches Bild bieten. Es kann nicht sonderlich befriedigen, wenn – was allen Ernstes vorgeschlagen worden ist – der »Lazarillo« oder der »Marcos de Obregón« aus der pikaresken Gattung ausgeschlossen werden. Im übrigen scheint es, daß eine solche enge Definition allzu schnell Möglichkeiten preisgibt, die der Gattungsbegriff bei etwas liberalerer Handhabung bietet: Man könnte etwa, der Anregung Thomas Manns folgend, den »Felix Krull« im Zusammenhang mit der pikaresken Erzähltradition interpretieren, was aber unmöglich würde, wenn man wirklich nur die spanischen Texte des 16. und 17. Jahrhunderts und allenfalls die deutschen Beispiele bis hin zu Grimmelshausen als Schelmenromane anerkennen wollte.

Andererseits droht die extensive Fassung des Gattungsbegriffs den Terminus »Schelmenroman« zu entleeren und unbrauchbar zu machen. Werden noch der »Taugenichts« Eichendorffs, Kafkas »Amerika« oder Döblins »Berlin Alexanderplatz« als pikareske Werke gedeutet, dann wird kaum noch einsichtig, welche dominanten Charakteristika diese neueren Texte mit den älteren Beispielen, mit dem »Lazarillo«, dem »Guzmán« und dem »Buscón«, noch verbinden sollen.

Mehrfach ist versucht worden, die Gattung von einem sogenannten »pikaresken Mythos« her zu definieren. Guillén, auf den dieser Begriff zurückgeht, meint damit »eine wesentliche Situation oder charakteristische Struktur, die an den Romanen selbst abgelesen ist«. Wo man versucht hat, diesen »Mythos« inhaltlich näher zu bestimmen, da ist von der Gestalt eines wandernden Helden aus der Unterklasse die Rede, wobei sich noch einige präzisierende Angaben über typische Stationen und Tendenzen seines Weges machen lassen. Verzichtet man auf den für deutsche Ohren etwas belasteten Begriff des »Mythos«, so liegt in diesem Ansatz die Aufforderung, durch vergleichende Betrachtung der als »pikaresk« geltenden Texte eine Reihe von thematischen und formalen Zügen zu ermitteln, die zur Präzisierung und Abgrenzung des Gattungsschemas dienen können. Dabei muß im Auge behalten werden, daß der Gattungsbegriff eine Reihe höchst individuell ausgestalteter und in verschiedenen historischen Zusammenhängen stehender Werke erfassen soll. Es wird daher kaum sinnvoll sein, den Picaro als die zentrale, die Gattungsbezeichnung begründende Figur auf eine bestimmte Bedeutung oder Funktion festzulegen. Denn im Lauf der Gattungsentwicklung ist die Figur des Schelms in den Dienst ganz unterschiedlicher Erzählabsichten gestellt worden. Es gibt Werke, die den Charakter ihrer Hauptfigur aus natürlichen Anlagen ableiten, und andere, die ihn auf äußere Einflüsse zurückführen. Bald ist die Welt so aufgefaßt, daß sie ein harmonisches Ende der Geschichte, nämlich die Versöhnung des Außenseiters mit seiner Umwelt, zuläßt, bald erscheint die Spannung zwischen dem Outcast und der Gesellschaft unauflösbar. Es ist ohne weitere Erklärung deutlich, daß die Figur des Picaro bei so unterschiedlichen Ansätzen in jeweils anderer Beleuchtung erscheinen muß.

Versucht man nun, unter Berücksichtigung des Funktionswandels des pikaresken Erzählschemas dessen wesentliche Merkmale näher zu bestimmen, so läuft das auf die Beschreibung eines »Idealtypus« der Gattung hinaus. Dessen Charakteristika müssen im einzelnen Fall nicht alle vorliegen, damit von einem pikaresken Roman gesprochen werden kann. Und es ist auch nicht sinnvoll, ein bestimmtes einzelnes Werk zum Prototyp der ganzen Gattung zu erklären. Vielmehr ist eine gewisse Offenheit der Bestimmung nötig, weil eine literarische Gattung nicht eine starre, invariante Größe ist, sondern sich im historischen Prozeß verändert und neuen Ausdrucksbedürfnissen anpaßt.

Bei einer Aufzählung einzelner Charakteristika beginnt man wohl am besten mit einer näheren Bestimmung der zentralen Figur, des Picaro, der der Gattung ihren Namen gegeben hat. Die Kritiker definieren den Schelm meist als einen Außenseiter, der sich gegen eine feindliche Welt mit wendiger Unbedenklichkeit behauptet. In seine Position am Rande der Gesellschaft gerät er in der Regel durch obskure Herkunft, durch frühen Verlust der Eltern oder durch Armut. Sein Überleben sichert er durch seinen Erfindungsreichtum und durch eine Bedenkenlosigkeit, die ihn auch vor Taten nicht zurückschrekken läßt, die nach den geltenden Gesetzen unter Strafe stehen. Zu Beginn der »Pícara Justina« ist der Zusammenhang von pikaresker Amoralität und Not expressis verbis klargestellt: »Armut und Gaunerei kommen aus demselben Steinbruch« *(Pobreza y picardía salieron de una misma cantera)*.

Der Picaro steht zwar außerhalb der etablierten Gesellschaft, aber er ist nicht total von den sozialen Zusammenhängen abgetrennt. Er kann sich gar nicht von der Gesellschaft lösen wollen, da er in einer parasitären Existenzform die Chance des Überlebens sucht und weil der Parasit ja auf den Wirt nicht verzichten kann. Im »Marcos de Obregón« wird der Picaro wegen eben dieses Verhältnisses zur Gesellschaft verurteilt: »Diese Vagabunden und Müßiggänger, die sich von fremdem Blut erhalten und nähren wollen, verdienen, daß die ganze Gesellschaft ihr Ankläger und Henker sei« *(Estos hombres vagamundos y ociosos, que se quieren sustentar y alimentar de sangre ajena, merecen que toda la república sea su fiscal y verdugo).*

Der Picaro gerät in starke Konflikte mit seiner Umwelt, da die Gesellschaft ihm die Möglichkeit, sein Leben zu fristen, nicht gutwillig einräumt. In der Regel erkennt er in einem desillusionierenden, schockartigen Initiations-Erlebnis die Bosheit der Welt. Das berühmteste Beispiel einer solchen Erfahrung ist die Lektion, die der blinde Lehrmeister dem arglosen Lazarillo erteilt. Eine typische Schlußkonstellation der pikaresken Lebensläufe gibt es nicht. Schon der Blick auf die frühesten prominenten Beispiele zeigt, daß die Autoren ganz unterschiedliche Lösungen gefunden haben: Lazarillo hat sich am Ende auf höchst fragwürdige Weise in die korrupte Gesellschaft eingegliedert, Guzmán findet nach einer geistlichen Erweckung zu einer Distanzierung von der früheren pikaresken Existenz, während Pablos in »El Buscón« ein krimineller Außenseiter bleibt.

Schon früh haben die Kritiker erkannt, daß der pikareske Roman zwei Schwerpunkte des Interesses besitzt: die Figur des Schelmen einerseits und die meist in kritischer Perspektive dargestellte Welt auf der anderen Seite. Die Aufmerksamkeit kann sich in beide Richtungen mehr oder weniger gleichmäßig verteilen, sie kann aber auch einen der beiden Schwerpunkte bevorzugen. Wendet sich das Interesse der Darstellung eines breiten Weltausschnitts zu, dann kann die Bedeutung des Picaro auf die Funktion einer äußerlichen Verbindung der Episoden schrumpfen.

Was die Bauform des Schelmenromans betrifft, so ist er in eine Folge relativ selbständiger Episoden gegliedert. Man hat früher häufig die Meinung vertreten, solche Kompositionsweise sei primitiv und gehöre auf eine unentwickelte Stufe der Kunstform Roman. Das allerdings ist eine unzulässig simplifizierende Wertung. Mit Recht hat man dagegen geltend gemacht, daß die pikaresken Erzählwerke die Reihe ihrer Episoden durch Motiv-Verknüpfungen und thematische Verweise sowie durch eine bewußte, bisweilen raffinierte Verwendung der autobiographischen Erzählform zusammenschließen. Vorbehalte ergeben sich daher auch gegen die häufig vorgetragene Meinung, der pikareske Roman könne beliebig erweitert und fortgesetzt werden. Trotzdem bleibt natürlich richtig, daß der Schelmenroman einer relativ freien Bauform folgt, die Einschübe und Amplifikationen leicht zuläßt, jedenfalls bei der Darstellung der eigentlich pikaresken Lebensphase des Helden, die zwischen seiner ersten Desillusionierung und dem Erreichen jener distanzierten Position liegt, von der aus er die farbige Fülle seiner pikarischen Existenz darstellt und bewertet.

Die wichtigsten Beispiele des Schelmenromans bedienen sich der Form einer fiktiven Autobiographie: Der Schelm erzählt sein Leben. Viele Kritiker haben diese Anlage als konstituierend für die Gattung betrachtet, allerdings besteht auch über diesen Punkt keine Einigkeit. Über die literaturgeschichtlichen Vorbilder der autobiographischen Erzählform hat es eine umfangreiche gelehrte Kontroverse ohne eindeutiges Resultat gegeben. Man hat das Muster in der Tradition der christlichen »Confessiones« finden wollen, andere haben auf die »Metamorphosen« des Apuleius oder auf die im 16. Jahrhundert geläufige Form der Selbstdarstellung in einem essayartigen Brief hingewiesen. Gegenüber solchen Ableitungsversuchen hat Horst Baader geltend gemacht, daß sie ausnahmslos unbefriedigend bleiben, weil der anonyme Autor des »Lazarillo« der autobiographischen Form eine gänzlich neue Funktion abgewonnen habe.

Wichtigstes Charakteristikum einer solchen Inszenierung der pikaresken Erzählung ist eine Doppelung der Ebenen: Neben die erzählte Geschichte des Schelms tritt der Standpunkt des Erzählers, der aus zeitlicher Distanz auf die vorgetragenen Ereignisse zurückblickt. Damit ergibt sich die Möglichkeit einer moralischen oder religiösen Beurteilung des Schelmenlebens, wobei aber suggeriert wird, daß sich die Prinzipien solcher Beurteilung aus der pikarischen Existenz entwickelt haben, – denn es ist ja kein anderer als der Schelm selbst, der da erzählt und über sein Leben räsoniert. Allerdings kann die Form der Selbstdarstellung auch zu einer Ironisierung des Picaro benutzt werden, indem nämlich dem Leser spürbar gemacht wird (wie im »Lazarillo« und im »Felix Krull«), daß der Schelm beim Versuch der Selbstrechtfertigung Selbsttäuschungen verfällt und falsche Prätentionen ins Spiel bringt.

Aus der Doppelung der Ebenen in der autobiographischen Erzählweise ergibt sich ein für viele pikareske Werke kennzeichnender Zwiespalt: Einerseits wird die Schelmengeschichte mit Freude an der Findigkeit des Helden und mit erzählerisch ausgekosteter Zuwendung zur Farbigkeit und Bewegtheit der Welt vorgetragen; andererseits aber sucht der Erzähler moralische Distanz zu dem asozialen Lebenswandel des Picaro. Dieser Ambivalenz entspricht eine Doppelung der erzählerischen Absichten: Einmal soll der Leser natürlich mit den frechen Streichen des Picaro unterhalten werden, andererseits aber soll die Erzählung eine moralische Botschaft übermitteln. Diese beiden Absichten waren im Schelmenroman nicht immer leicht auf einen Nenner zu bringen. Mateo Alemán zum Beispiel hat in seinem »Guzmán« die Spannung zwischen der moralisch-religiösen Belehrung und der erzählerischen Lust an den pikarischen Episoden nicht ohne Rest auflösen können.

Man hat sich wiederholt bemüht, die Entstehung und Ausbreitung des pikaresken Romans im Zusammenhang mit bestimmten sozialgeschichtlichen Entwicklungen verständlich zu machen. So hat man auf die politische, soziale und ideologische Krise Spaniens im 16. und 17. Jahrhundert verwiesen, um den Aufstieg dieser niedrig-komischen, meist satirisch gefärbten Literaturform zu erklären. Allzu vage sind bislang die Versuche geblieben, den Schelmenroman im ganzen mit der Entwicklung der bürgerlichen Gesellschaft in Bezug zu setzen. Präzisierende Erläuterungen verdiente auch die häufiger vertretene These, daß der pikareske Roman immer dann aufblühe, wenn soziale Krisen ausbrechen.

Eine bedeutsame Konkretisierung der literatursoziologischen Diskussion hat hinsichtlich der frühen spanischen Beispiele Américo Castro vorgenommen. Seine These ist, daß hinter der scharfen Kritik des Picaro-Romans die Mentalität der in der spanischen Gesellschaft eklatant benachteiligten Neuchristen jüdischer Herkunft stehe. Diese *Conversos* wurden durch ein religiöses und rassisches Vorurteil von allen Positionen ausgeschlossen, die mit sozialer Anerkennung verbunden waren. Castro sieht nun beispielsweise in der vehementen Abrechnung mit der Geistlichkeit, wie sie sich im »Lazarillo« findet, einen Protest gegen die Diskriminierung, der sich die Neuchristen ausgesetzt sahen. Marcel Bataillon, der Castros Gedanken weitergeführt hat, will die Außenseiterschaft des Picaro überhaupt nicht mehr in ökonomischen Nöten begründet sehen: Er sei gerade nicht der Hungerleider und Diener vieler Herren, sondern er sei der durch den rigiden Ehrenkodex der spanischen Gesellschaft von aller Anerkennung ausgeschlossene *Converso,* dem es an der Reinheit der Abstammung, der *limpieza de sangre,* mangele. Durch diesen Makel wird er zur Gegenfigur des reinblütig-altchristlichen Adligen, des *Hidalgo.*

Daß die Problematik der *Conversos* in der Tat für den pikaresken Roman von Bedeutung ist, wird dadurch bekräftigt, daß eine Reihe wichtiger Autoren selbst nachweislich aus neuchristlichen Familien stammen (Mateo Alemán und López de Úbeda, nach Castros Meinung auch der anonyme Verfasser des »Lazarillo«) und daß auch die Picaros selber den Forderungen nach *limpieza de sangre* oft nicht genügen (beispielsweise Guzmán, Pablos und Justina).

Ohne Zweifel haben Castro und die ihm folgenden Kritiker einen wichtigen Aspekt des spanischen Schelmenromans beleuchtet. Es ergeben sich aber aus der Perspektive des *Converso* in den einzelnen Werken ganz unterschiedliche Konsequenzen. Im »Guzmán de Alfarache« wird die Gesellschaft an ihren eigenen christlichen Idealen gemessen; im »Buscón« dagegen findet sich vor allem Spott über die sozialen Ambitionen des Picaro, der nicht nur neuchristlicher Abkunft ist, sondern auch als Sohn eines Gehenkten und durch seine Verwandtschaft mit dem Henker zum Paria gestempelt wird. Die »Pícara Justina« schließlich wird neuerdings als eine »respektlose höfische Posse« aufgefaßt, die sich schonungslos über diejenigen lustig macht, die sich verzweifelt um den Nachweis einer altchristlichen Abstammung bemühten.

So erhellend die Hinweise Castros für das Verständnis der genannten Romane sind, so sehr sollte man sich doch vor einer Vereinseitigung seiner Thesen hüten. Besonders bei Bataillon zeigt sich die Neigung, andere Gesichtspunkte wie etwa das Motiv der Armut und des Hungers ganz aus der Deutung der pikaresken Existenz auszuklammern. Das aber kann angesichts der Texte nicht einleuchten.

Das auf das *Converso*-Problem fixierte Verständnis der Gattung führt auch zu Einordnungs-Schwierigkeiten bei einem Buch wie Espinels »Marcos de Obregón«. Bataillon räumt zwar ein, daß dieses Werk die Entwicklung des pikaresken Romans in anderen Ländern wesentlich mitbestimmt habe, er will aber in dessen Helden nur einen »Antipicaro« sehen, weil er *Escudero,* daß heißt adelig und altchristlicher Herkunft ist. Es ist sicherlich richtig, daß Espinels Romanheld in geringerem Maß als Außenseiter erscheint als die früheren Picaros, aber seine Lebensgeschichte zeigt gleichwohl eine ganze Reihe von Zügen, die denen anderer Schelme entsprechen. Es scheint ungereimt, das Buch einmal als wichtig in der Gattungsgeschichte zu bezeichnen, dann aber seinem Helden die Qualität eines Picaro ganz abzusprechen.

Aus der These, daß die *Converso*-Problematik den thematischen Kern des spanischen Picaro-Romans ausmache, hat man neuerdings bisweilen folgern wollen, daß die Gattung in andere Nationalliteraturen gar nicht habe übergehen können. Denn die Diskriminierung der jüdischen Neuchristen und die Ideologie der altchristlichen *limpieza de sangre* seien eben nur in Spanien zu beobachten, weshalb die Romane, die dieses soziale Problem spiegeln, in anderen europäischen Ländern nicht einmal auf angemessenes Verständnis hätten rechnen können. Was man bisher an deutschen, französischen und englischen Romanen zur pikaresken Gattung gezählt habe, sei daher der

Sache nach und auch terminologisch streng von den spanischen Picaro-Romanen zu trennen. Nur auf diese Weise sei der Gattungsbegriff sinnvoll anwendbar (H. G. Rötzer, A. Stoll).

Natürlich kann man die Gattung so eng definieren, es stellt sich indessen die Frage der Zweckmäßigkeit und der Plausibilität eines solchen Verfahrens. Zu berücksichtigen bleibt nämlich, daß in den spanischen Schelmenromanen neben der Diskriminierung der *Conversos* noch eine ganze Reihe anderer Momente eine bedeutsame Rolle spielen: Hunger und Armut vor allem, auch pure Abenteuerlust oder die Sehnsucht nach den Freiheiten des Vagabundenlebens. Kritik richtet sich nicht bloß gegen das religiös-soziale Vorurteil, sondern auch allgemein gegen die ungleiche Verteilung des Besitzes und gegen die Mitleidlosigkeit der Gesellschaft, die den Außenseiter auf den Weg krimineller Selbsthilfe drängt. Diese Motive können auch in einem sozialen Zusammenhang auftreten, der das Problem des Gegensatzes zwischen Alt- und Neuchristen nicht kennt. Wenn etwa vorgebracht wird, in der französischen »Buscón«-Bearbeitung oder im »Gil Blas« sei der ehrlose *Converso* nicht mehr zu erkennen und deshalb dürfe man in diesen Fällen von einem Picaro-Roman nicht mehr sprechen, so ist das eine Argumentation, die nicht in Rechnung stellt, daß eine Gattung bei veränderten historischen Umständen auch ihre thematische Orientierung verschieben kann. Daß Ausdrucksbedürfnisse sich wandeln und daß Gattungsbegriffe eine gewisse Flexibilität und Offenheit brauchen, um literarische Texte unterschiedlicher Herkunft sinnvoll zusammenzuordnen, ist dem historisch Denkenden selbstverständlich. Es scheint daher zweckmäßig, den Picaro nicht durch seine Eigenschaft als *Converso* oder als Symbolfigur für diese Gruppe zu definieren, sondern allgemeiner als Außenseiter, der um soziale Anerkennung und die Möglichkeit des Überlebens kämpft. Auf diese Weise wären einmal die spanischen Beispiele trotz ihrer unterschiedlichen Intentionen zwanglos zu erfassen, und außerdem könnten auch Werke anderer Epochen und anderer Nationalliteraturen als pikareske Romane verstanden werden. Letzteres muß dem Literaturhistoriker deshalb wünschenswert erscheinen, weil sich in vielen Fällen die späteren Autoren ausdrücklich auf die spanischen Schelmenromane des 17. Jahrhunderts zurückbezogen haben, was gerade das Beispiel des »Gil Blas« illustrieren kann.

Die Anwendung eines solchen weiteren Gattungsbegriffs darf allerdings nicht zu einer nivellierenden Deutung der Werke führen. Wenn man literarische Texte ein und demselben Genre zuweist, dann bedeutet das keineswegs, daß man ihre unwiederholbare Individualität, ihre historische Besonderheit leugnen wollte. Andererseits ist offensichtlich, daß eine enge, einzelne Merkmale dogmatisch festschreibende Bestimmung der Gattung nicht geeignet wäre, jene Erkenntnis- und Ordnungsbedürfnisse zu befriedigen, die uns zur Bildung von Gattungsbegriffen überhaupt erst veranlassen.

Der pikareske Roman ist – so wären die angestellten Überlegungen zu resümieren – charakterisiert durch den in einer sozialen Randposition stehenden Protagonisten, den Picaro, der meist aus niedrigem oder dubiosem Milieu stammt und mit moralisch nicht unbedenklichen Mitteln, aber auch mit Zähigkeit, Witz und Anpassungsfähigkeit um seine Selbstbehauptung kämpft. Die relativ selbständigen Episoden seiner Lebensgeschichte fügen sich zu einem satirisch akzentuierten Bild der Gesellschaft zusammen. Die in aller Regel benutzte autobiographische Erzählform hat die Funktion, dem erzählten Lebenslauf eine Position kritischer Überschau und Bewertung gegenüberzustellen.

Das auf diese Weise zu beschreibende Gattungsschema erwies sich im Gang der literarischen Entwicklung als flexibel genug, um ganz verschiedenen Intentionen zu dienen. Dadurch war ein längeres Überleben der Gattung und auch ihr Übergang in andere Nationalliteraturen und Epochen möglich. Die Darstellungsabsicht konnte sich einmal darauf richten, ein satirisches Panorama der Welt zu entwerfen, oder auch darauf, den Picaro selbst als ein abschreckendes Beispiel für eine weltverfallene oder unmoralische Existenz darzustellen. Die Problematik der pikarischen Lebensform ließ sich durch eine religiös begründete Absage an die als korrupt und sündig erkannte Welt lösen oder dadurch, daß der Schelm am Ende eine reputierliche Stelle innerhalb der Gesellschaft findet und damit den Status des Außenseiters verliert. Das sind nur Beispiele für Variationsmöglichkeiten, die im Gang der Gattungsgeschichte ans Licht getreten sind und die es ermöglicht haben, daß als pikaresk zu bezeichnende Erzählwerke bis ins 20. Jahrhundert hinein haben entstehen können.

III

Anfänge des pikaresken Romans in Deutschland – Frühe Übersetzungen und Adaptionen des »Lazarillo« und des »Guzmán«.

Nach Deutschland kam der pikareske Roman erst mit einiger Verzögerung. Eine französische Übersetzung des »Lazarillo« war bereits 1560 erschienen, auf englisch wurde das Buch 1569, auf holländisch 1579 publiziert. Die erste deutsche Übertragung, die allerdings nicht gedruckt wurde, entstand 1614. Drei Jahre später kam dann in Augsburg eine deutsche Version des »Lazarillo« an die Öffentlichkeit. Ihr Text beruht im Gegensatz zu der ersten, ungedruckten Übersetzung von 1614 auf dem »Lazarillo castigado«, das heißt auf der im Hinblick auf die kirchliche Zensur überarbeiteten und seit 1573 in Spanien verbreiteten Fassung.

Neuere Untersuchungen haben gezeigt, daß der deutsche »Lazarillo« den spanischen Text beträchtlich verändert. Die Kleriker-Kritik ist abgemildert, wobei der Übersetzer bei seiner Schonung der Religion und ihrer Vertreter noch über das von der Inquisition erzwungene Maß hinausging. Symptomatisch ist, daß aus dem leichtlebigen Erzpriester von Toledo ein lediger Adliger wird. Auch die ironisch-indirekte Gesellschaftskritik ist eliminiert. Lazarillo erreicht hier den Rang eines königlichen Amtmanns und reüssiert aufgrund seines Fleißes. So wird er zum guten Beispiel dafür, daß man sich durch geschicktes und ordentliches Verhalten einen anerkannten Platz in der Gesellschaft sichern kann. Das Verhältnis zwischen dem Außenseiter und der Gesellschaft ist ganz ohne Bitterkeit behandelt, alle Ironie ist dem Text ausgetrieben. Mit alledem ist die Tendenz des spanischen Original-»Lazarillo« ganz offensichtlich umgekehrt.

Im Jahre 1653 wurde auch die Fortsetzung des »Lazarillo« ins Deutsche übertragen, die Juan de Luna 1620 hatte drucken lassen. Diese von einem in Frankreich lebenden spanischen *Converso* verfaßte Weiterführung hatte die religionskritischen

Tendenzen des ersten »Lazarillo« noch verstärkt. Der deutsche Übersetzer, ein gewisser Paulus Küefuß, hatte alle entsprechenden Passagen geändert und aus dem Ganzen eine unproblematische, schwankhafte Schelmengeschichte gemacht, die das unberechenbare Walten der Fortuna illustriert.

Im Jahr 1615, also noch vor dem Druck der »Lazarillo«-Übertragung, war die deutsche Version des »Guzmán de Alfarache« erschienen. Ihr Titel lautet: »Der Landstörtzer: Gusman von Alfarche oder Picaro genannt / dessen wunderbarliches / abenthewrlichs und possirlichs Leben / was gestallt er schier alle Ort der Welt durchloffen / allerhand Ständ / Dienst und Aembter versucht / vil Guts vnd Böses begangen vnd außgestanden /. . . /«. Als Autor nennt sich Aegidius Albertinus, »der Fürstl. Durchl. in Bayrn Secretarius.« Das Titelblatt bezeichnet den Text des Buches als »theils auß dem Spanischen verteutscht, theils gemehrt und gebessert«, womit es dem Leser deutlich macht, daß er weniger eine treue Wiedergabe als eine freie Bearbeitung erwarten darf.

Albertinus benutzt den ersten Teil des Alemánschen Originals und die (falsche) Fortsetzung des Juan Martí. In den späteren Partien seines Buchs verläßt er sich ganz auf seine eigenen Einfälle. Aber auch dort, wo der Text sich erkennbar an den spanischen »Guzmán« anschließt, sind tiefgreifende Änderungen zu registrieren. Albertinus streicht die reflektierenden Abschnitte, er übernimmt nur einen Teil der Handlungs-Episoden und verzichtet ganz auf die novellistischen Einlagen. Der umfangreiche erste Teil von Alemáns Roman schrumpft unter solcher Bearbeitung auf zwanzig kurze Kapitel, die kaum mehr als hundert Seiten füllen.

Der zweite Teil des deutschen »Gusman« schildert, wie sich der Picaro nach seiner dreijährigen Galeeren-Zeit der Welt entzieht, wie er von einem frommen Einsiedler »auff den Weg der poenitentz« geleitet wird und zu dem Vorsatz findet, eine Wallfahrt nach Jerusalem zu unternehmen. Am Ende des Buches wird der Leser auf hundertzwanzig Seiten mit den Pflichten eines »Geistlichen Pilgrams« vertraut gemacht.

Schon diese Andeutungen lassen erkennen, daß Albertinus die Struktur seiner spanischen Vorlage beträchtlich verändert hat. Mateo Alemán hatte die Schilderung des Schelmenlebens und die Reflexionen des bekehrten Guzmán ineinander geschachtelt und seinen Vortrag zwischen Erzählung und belehrendem Exkurs wechseln lassen. Albertinus dagegen wählte eine klarere und simplere Darstellungsform, indem er die Schilderung des sündhaften Lebens von der Darlegung der religiösen Wahrheiten trennte. Die religiös motivierte Weltverneinung findet sich zwar schon bei Mateo Alemán, aber sie ist hier erheblich verstärkt.

Ganz offensichtlich hat Aegidius Albertinus, der ein sehr fruchtbarer Autor der Gegenreformation war, auch seine Adaption des spanischen »Guzmán« ganz in den Dienst dieser kirchlichen Bewegung gestellt. Das zeigt sich in der starken religiösen Überformung des Textes, in der nachdrücklichen Mahnung zu Umkehr und Weltverachtung. Symptomatisch für die Intentionen des Buches ist, daß es den Vermittlern des rechten Glaubens, den Geistlichen, Mönchen und dem Einsiedler, durch die der Picaro »heylsamlich underwiesen« wird, eine mit hoher Autorität ausgestattete Rolle zuweist. Der deutsche »Gusman« wurde so zu einer »allegorischen Büßergeschichte« (H. G. Rötzer) und zu einem »desillusionierten Weltspiegel« (W. Beck).

Interessant ist, daß diese erste deutsche Adaption eines spanischen Schelmenromans den Begriff *Picaro* schon auf der Titelseite benutzt und als Fremdwort beibehält. In der Überschrift des achten Kapitels findet sich eine Erläuterung: »Gusman kompt gen Madril und wird ein Picaro, oder ein Schwarack.« Das zur Erklärung beigezogene Wort steht wohl in Zusammenhang mit dem rotwelschen Ausdruck »Schwarer«, der soviel wie »gefährlicher, skrupelloser Verbrecher« meint. Gusman, der sich »in die löblich Picarisch Zunfft« einordnet, nennt sich außerdem »Störtzer, Landtlauffer und nichtiger Schelm«, womit er schon alle jene Bezeichnungen ins Spiel bringt, die in den kommenden Jahrzehnten für die deutschen Nachfolger Lazarillos und Guzmáns in Umlauf kommen.

Im Jahre 1626 erscheint dann noch ein dritter Teil des deutschen »Gusman«, der sich ganz zu Unrecht als Übertragung aus dem Spanischen ausgibt. Autor des Buches ist Martinus Frewdenhold. Es besteht zum großen Teil aus Reiseberichten, kuriosen Abhandlungen und theoretischen Exkursen, wodurch dem Buch jede sinnvolle epische Struktur verlorengeht. Hier ist eine anspruchslose Möglichkeit realisiert, die sich eben auch aus dem Modell der Schelmengeschichte entwickeln ließ: die Möglichkeit grundsätzlich unbegrenzter Reihung von Episoden und der wahllosen Anhäufung von Materialien, die dem Verfasser gerade greifbar sind. Schon bei Aegidius Albertinus war eine Tendenz zu solcher Formlosigkeit zu bemerken gewesen, wenn er etwa anläßlich der Ankunft Gusmans in Rom in einem eigenen Kapitel »die fürnembste Römische Kirchen / sampt denen darin vorhandenen Reliquien« ausführlich beschreibt.

Dieser kurze Überblick über die ersten deutschen Übersetzungen, Bearbeitungen und Weiterführungen des »Lazarillo« und des »Guzmán« war deshalb unumgänglich, weil die wichtigsten deutschen Autoren, die im Zeitalter des Barock mit pikaresken Erzählwerken hervortraten, die Gattung nur in diesen deutschen Adaptionen kennenlernten. Das gilt übrigens auch für Hieronymus Dürer, der von einigen Literaturhistorikern als Autor des ersten deutschen Schelmenromans bezeichnet wird. Sein obskures Buch erschien 1668 und trägt den Titel »Lauf der Welt und Spiel des Glücks. Zum Spiegel Menschliches Lebens vorgestellet in der Wunderwürdigen Lebensbeschreibung des Tychanders«. Eine wirklich produktive Aufnahme der pikaresken Muster und ihre Umsetzung in ein neues, originäres Werk, das sich mit den spanischen Schelmenromanen messen konnte, gelang erst Grimmelshausen mit dem »Simplicissimus«.

IV

Grimmelshausens »Simplicissimus« – Der pikareske Lebenslauf des Helden – Zur allegorischen Bedeutung und zur »planetarischen Struktur« des Romans.

Frühere Literaturhistoriker haben Grimmelshausens »Simplicissimus« (1668) ganz selbstverständlich in die Tradition des Schelmenromans gestellt. Neuere Interpretationen haben jedoch dieser Einordnung des Werks oft nicht mehr viel abgewinnen können, ja man glaubte, vor allem die Unterschiede zwischen Grimmelshausens Werk und der älteren pikaresken Tradition betonen zu sollen. Oft ist in den Äußerungen zu dieser Frage die Auffassung durchzuspüren, der Schelmenroman sei ein anspruchsloses Genre, das kompositorisch und seiner Intention nach höchst simpel angelegt sei. Vor solch zweifelhafter Verwandtschaft glaubt man offensichtlich Grimmelshausen retten zu müssen, indem man ihm höhere Absichten und mehr Kunstverstand zuspricht, als man den Autoren des pikaresken Romans zubilligen will. Es ist indessen offensichtlich, daß eine solche abwertende Charakterisierung den spanischen Mustern der Schelmenromane, dem »Lazarillo«, dem »Guzmán« oder dem »Buscón« nicht gerecht wird.

Der Held von Grimmelshausens Roman hat, wie es sich für einen Picaro gehört, eine obskure Herkunft: Er kommt aus dem tiefen Spessarter Wald und aus extremer bäuerlicher Unwissenheit. Er durchläuft einen wechselvollen Lebensgang, auf dem er zunächst in niederen sozialen Positionen bleibt. Als die Lebensgeschichte am Ende des zweiten Buches anlangt, dient Simplicius bereits dem sechsten Herrn. Zwar stellt sich später heraus, daß Simplicius aus adliger Familie stammt und nur durch die Wirren des Krieges zu den Spessarter Bauern geraten ist. Aber diese Entdeckung edler Abkunft bleibt ohne Folge für den Ablauf der Geschichte und für die Bewertung der Figur.

Gelegentlich hat man bezweifelt, ob der Simplicius des Grimmelshausenschen Romans überhaupt eine in sich konsistente Romangestalt von personaler Qualität sei. Man glaubte, die Figur sei bloß Funktion in einem übergreifenden thematischen Zusammenhang, der allein die Einheit des Werks begründe. Nun ist Simplicius sicherlich keine psychologisch fein durchgezeichnete und konsequent entwickelte Gestalt. Aber er ist doch ohne Zweifel Zentrum der Romanhandlung, die ihn vor die Entscheidung zwischen der Welt und dem christlichen Heil führt. Man hat im Hinblick auf Simplicius von »modellhaft-abstrakter Personalität« gesprochen und in ihm eine »repräsentative Universalfigur« sehen wollen, in der sich die erlösungsbedürftige *Condicio humana* darstellt. In solcher Steigerung ins Allgemeine liegt sicherlich eine Differenz zu den spanischen Picaros; allerdings ist diese Wertung der Figur in der deutschen »Guzmán«-Adaption des Albertinus schon deutlich vorgezeichnet.

Ein typisches Element des Picaro-Romans, das sich im »Simplicissimus« wiederfindet, ist das *Desengaño*-Erlebnis beim Eintritt in das Getriebe der Gesellschaft, die desillusionierende Erkenntnis der Bosheit und der Feindseligkeit der Welt. Auf seiner ersten Station beim Gang durch die Welt, in Hanau, benimmt sich der aus dem Wald entlaufene Simplicius zunächst völlig naiv. Im Rückblick konstatiert er:

> Damals war bey mir nichts schätzbarliches / als ein reines Gewissen / und auffrichtig frommes Gemüt zu finden / welches mit der edlen Unschuld und Einfalt begleitet und umbgeben war.

Daß in der Welt die Laster herrschen, ist ihm daher völlig unbegreiflich. Als er einmal Zeuge wird, wie ein Soldat einem anderen eine Maulschelle gibt, erwartet er, daß der Geschlagene entsprechend dem Gebot Christi auch die andere Backe hinhält. Es ist der Pfarrer, der Simplicius über die wahre Beschaffenheit der Welt aufklärt. Langsam beginnt er, die Falschheit zu durchschauen, bewußt Rollen zu spielen und andere zu seinem Vorteil zu täuschen. Zunächst versucht Simplicius noch, an der religiösen Wahrheit festzuhalten, aber bald schon packen ihn Stolz und Eitelkeit und verwickeln ihn mehr und mehr in das Treiben der sündigen Welt. Damit aber beginnt die pikareske Folge der Abenteuer.

Die lange Einleitung, die dem Eintritt in die Welt vorangestellt ist, dient zur Begründung des religiösen Horizonts für den ganzen Vorgang der Lebensgeschichte. Mit den drei Lehren des Einsiedlers: »sich selbst erkennen / böse Gesellschaft meiden / und beständig verbleiben« sind die entscheidenden Maximen für ein gottgefälliges Leben genannt, denen Simplicius allerdings erst ganz am Schluß seiner Laufbahn in seiner frommen Robinson-Existenz entspricht. Zwischen diesen beiden Punkten läuft die pikareske Geschichte ab, mit ihren zahlreichen Schwänken und Streichen und mit der Schilderung extremer Glückswechsel, die den Helden wiederholt zwischen Reichtum und Armut hin- und herstoßen.

Die Erzählung durchmißt enorme räumliche Strecken: Sie führt ihren Helden nach Rußland und Ostasien, nach Ägypten und in den Indischen Ozean, ja sogar – in der Mummelsee-Episode – in das *»Centrum terrae«*. Der Episodenreichtum mit seinem Auf und Ab und der Vielfalt der Begegnisse dient der Veranschaulichung der Unsicherheit, der Flüchtigkeit und Eitelkeit der irdischen Existenz. Diese Lektion geht Simplicius bald auf:

> Also wurde ich bey Zeiten gewahr / daß nichts beständigers in der Welt ist / als die Unbeständigkeit selbsten. Dahero muste ich sorgen / wann das Glück einmal seine Mucken gegen mich außlasse / daß es mir meine jetzige Wolfahrt gewaltig einträncken würde.

Aber er vermag aus dieser Erkenntnis nicht die richtigen Folgerungen zu ziehen. Als Jäger von Soest gerät er völlig in den Bann der Welt und strebt als Tausendsassa des westfälischen Kleinkriegs nach Ruhm und Reichtum. Seine Erfolge sind jedoch stets nur kurzlebig. Für sein Lotterleben im Pariser »Venus-Berg« ereilt ihn sogleich eine »spiegelnde« Strafe: Durch eine Krankheit verliert er seine Schönheit und seine bezaubernde Stimme, selbstverständlich geht auch sein Geld, der Sündenlohn, verloren.

Immer wieder begegnen Simplicius auf seiner pikaresken Fahrt durch die Welt Mahner, nicht selten auch zeigt er Ansätze zur Besinnung und Umkehr. Aber solche Anwandlungen sind nur flüchtig und wirkungslos. Als er in den Rhein gestürzt ist und sich dem Tode nahe fühlt, tut er feierliche Gelübde. Wenig später allerdings, als man ihn wieder als »Mußquetierer« in den Dienst gezwungen hat, sind alle Vorsätze vergessen: »ich trieb meine gottlose Weis fort / daß es das Ansehen hatte / als ob ich das *desperat* spielte / und mit Fleiß der Höllen zurennete.«

Als er mit seinem tugendhaften und frommen Freund Herzbruder zum Kloster Einsiedeln wallfahrtet, zeigt sich sein mangelnder Ernst schon darin, daß er die Erbsen, die er sich nach dem Beispiel des Freundes in die Schuhe legt, um sich zu kasteien, am zweiten Tage kochen läßt. Trotz dieser unfrommen Manipulation kommt es zu einem Bekehrungserlebnis, das aber keine dauernden Folgen zeitigen kann, weil es an der einzig gültigen Motivation noch mangelt: Nicht Gottesliebe, so diagnostiziert der rückblickende Simplicius, sondern nur Höllenangst hatte ihn ergriffen.

Am Ende der 1668 zuerst veröffentlichten Romanteile findet Simplicius nach der Lektüre der Erbauungsschriften Guevaras zu seinem berühmten »Adjeu Welt« und beginnt eine neue Einsiedler-Existenz. Aber immer noch nicht ist der Ruhepunkt gefunden. Die »Continuatio« des Romans erzählt, wie es Simplicius in seiner Schwarzwälder Einsiedelei an geistlicher Sammlung fehlt und wie er Arbeit und Gebet vergißt. Er zieht wieder in die Welt hinaus und frönt seinen alten Neigungen. Bald schon ist er so weit, daß er als »Zunfftmeister« der Landstörtzer auftreten könnte. Eine definitive Wandlung vollzieht sich erst auf der Insel im Indischen Ozean, wo Simplicius durch Arbeit allen verführerischen Müßiggang von sich fernhält und sich frommen Betrachtungen widmet. Die Aufforderung des holländischen Kapitäns, nach Europa zurückzukehren, weist er standhaft zurück:

> Hier ist eine stille Einsame ohne Zorn / Hader und Zanck; eine Sicherheit vor eitlen Begierden / ein Vestung wider alles unordenliches verlangen; ein Schutz wider die vielfältige Strick der Welt und eine stille Ruhe / darinnen man dem Allerhöchsten allein dienen: seine Wunder betrachten / und ihm loben und preysen kan.

Die Wandlung des Simplicius zum frommen Robinson ist nicht als seelischer Prozeß nuanciert nachgezeichnet, sondern sie ist als exemplarische Umorientierung der Existenz im Zeichen religiöser Wahrheiten gefaßt. Wenn der Einsiedler im Spessart Simplicius zur Selbsterkenntnis aufforderte, so hieß das nicht, daß er seine Seelenregungen auf ihre Anlässe und geheimen Intentionen hin abhorchen und sich analysierender Introspektion hingeben sollte. Gemeint war vielmehr die Selbsterkenntnis als Geschöpf Gottes, das durch die Sünde gefährdet, aber des ewigen Heils fähig ist.

Dem bekehrten Simplicius sind auf seiner Insel alle Gegenstände der Erfahrung zu einem bedeutungsschweren Hinweis auf religiöse Wahrheiten geworden:

> Also! sahe ich ein stachelecht Gewächs / so erinnerte ich mich der dörnen Cron Christi / sahe ich einen Apffel oder Granat / so gedachte ich an den Fall unserer ersten Eltern und bejammert denselbigen; gewanne ich ein Palmwein auß einem Baum / so bildet ich mir vor / wie mildiglich mein Erlöser am Stammen deß H. Creutzes sein Blut vor mich vergossen.

In solcher Ausdeutung der Erfahrung spiegeln sich die allegorisierenden Denkformen und Sehweisen des Barock, die am deutlichsten in der Emblematik hervortreten. Es besteht kein Zweifel, daß dieses Denken in Sinnbildern auch für Grimmelshausens eigenes literarisches Werk von prägender Bedeutung gewesen ist. Man hat ihn daher mit Recht als einen der »großen Hermetiker der Literaturgeschichte« bezeichnen können (C. Wiedemann).

Die zahlreichen neueren Arbeiten zum »Simplicissimus«

haben sich vor allem bemüht, die allegorisch verschlüsselten Bedeutungen des Romans aufzudecken. Man hat den Text nach dem patristisch-mittelalterlichen Deutungssystem vom mehrfachen Schriftsinn analysiert und hinter der erzählten Geschichte noch andere Bedeutungsschichten, einen allegorischen, moralischen und heilsgeschichtlichen Sinn finden wollen. Andere haben geglaubt, in einer komplizierten Zahlensymbolik, die den ganzen Zyklus der simplicianischen Schriften beherrschen soll, das zentrale Baugesetz und das organisierende Prinzip des Werks finden zu können. Wieder andere Interpreten sprechen von einer »planetarischen Anlage des Werks« und meinen, daß seine Struktur in astrologisch-alchimistischen Vorstellungen begründet sei: Das Werk zerfalle in eine Folge von Abschnitten, die jeweils im Zeichen eines der Himmelskörper stehen, die das ptolemäische Planetensystem bilden, nämlich Saturn, Mars, Sonne, Jupiter, Venus, Merkur und Mond. Diese Werkdeutung, die astrologische Begriffe ganz ins Zentrum stellt, ist allerdings von anderen Interpreten nur mit Vorbehalten oder mit Kritik aufgenommen worden. Die Diskussion über die Tragweite dieses Deutungsansatzes ist gegenwärtig noch nicht abgeschlossen.

Außer Zweifel steht aber nach der intensiven wissenschaftlichen Arbeit der letzten beiden Jahrzehnte, daß der »Simplicissimus« ein mit verschlüsselter Bedeutung schwer befrachtetes Werk ist. Grimmelshausen kann nicht – wie man früher einmal geglaubt hat – als naiver »Bauernpoet« verstanden werden, der im »Simplicissimus« seine eigene bewegte Lebensgeschichte in romanhafte Erzählung umsetzt und fabulös aufschmückt. Er hat eine erstaunlich ausgebreitete Kenntnis der Literatur seiner Zeit besessen, wie die Philologen durch den Aufweis zahlreicher Motivübernahmen und Zitierungen haben zeigen können.

Als allgemeine Tendenz der neueren Grimmelshausen-Interpretation kann gelten, daß man über der Beschäftigung mit verborgenen Bedeutungen und allegorischen Strukturen das epische Substrat des Werks, die romanhafte Erzählung, die Fabel, weitgehend vernachlässigt hat. In dieser vordergründigen Schicht aber, die das Interesse des Lesers zunächst einmal weckt und festhält, sind die Affinitäten zum pikaresken Roman unverkennbar.

Zu Beginn der »Continuatio«, als der fiktive Autobiograph Simplicius über die Erzählweise und die Absicht des Werks reflektiert, wird zwischen der »kurtzweiligen Histori« und der eigentlichen Botschaft des Romans unterschieden. Die bedeutsame moralisch-religiöse Mitteilung, um die es letztlich geht, kann nicht direkt, im »Theologischen Stylus« formuliert werden, weil dann der durchschnittliche Leser seine Aufmerksamkeit verweigern würde. Deshalb muß die unterhaltende, romanhafte Form der pikaresken Geschichte gewählt werden. Eine literaturwissenschaftliche Analyse des Werks kann sich nun nicht ausschließlich mit der Aufschlüsselung der allegorischen Bedeutungen befassen, obwohl ihr hier natürlich äußerst wichtige und schwierige Aufgaben gestellt sind. Vielmehr muß sich die Aufmerksamkeit des Interpreten auch auf die Gestaltung der ereignishaften Außenseite des Romans richten. Zwar wird gelegentlich betont, der Grimmelshausensche »Simplicissimus« zeige nur in der »Oberflächenstruktur« Parallelen zum Schelmenroman, womit offenbar suggeriert werden soll, hier liege ein unbeachtliches, für die Erfassung des Werks ganz nebensächliches Phänomen vor. Aber es bedarf kaum längerer Argumentation, um die Unzulänglichkeit einer Interpretation zu verdeutlichen, die auf die nähere Betrachtung des epischen Vorgangs und der gattungsgeschichtlichen Bezüge verzichten wollte.

Wo vor allem die allegorischen Bedeutungen heilsgeschichtlicher und astrologischer Art betont werden, konnte leicht der Eindruck entstehen, es sei völlig verfehlt, »realistische« Züge in Grimmelshausens Erzählen erkennen zu wollen. Das stand in striktem Gegensatz zu der Meinung früherer Leser- und Philologen-Generationen, die in dem Roman vor allem ein wirklichkeitsgesättigtes Dokument aus der Zeit des Dreißigjährigen Krieges gesehen hatten. So wenig sich der Roman in solchem Bezug auf die Zeitgeschichte erschöpft, so verfehlt wäre es allerdings auch, den Realitätsgehalt der Erzählung zu leugnen. Der Interpret hat davon auszugehen, daß der Roman ein handfestes episches Substrat besitzt, das vom pikaresken Gattungsschema entscheidend geprägt ist, daß aber dieses epische Substrat zugleich als Träger eines moralisch-religiösen Sinnes in Dienst genommen ist. Zur Bestimmung dieses spirituellen Sinnes sind eine Reihe von scharfsinnigen Ansätzen gemacht worden, es fehlt aber bislang noch die überzeugende Verknüpfung dieser Ansätze und der Nachweis ihrer systematischen Durchführbarkeit.

Zur genaueren Beschreibung von Grimmelshausens epischem Verfahren, das auf paradox scheinende Weise realistische und allegorische Momente verbindet, hat man einen Begriff aus der Kunstgeschichte beigezogen und von einer »in Genre verkleideten Allegorie« gesprochen (Rolf Tarot). Der Hinweis zielt auf die niederländische Malerei des 17. Jahrhunderts, die Motive der alltäglich erfahrbaren Wirklichkeit dargestellt hatte, wobei aber immer eine religiöse Demonstrationsabsicht wirksam blieb. Analog hätte man den »Simplicissimus« zu deuten: Auch hier genügt die Ausrichtung auf die empirische Wirklichkeit nicht sich selbst, sondern die Darstellung ist zugleich als allegorischer Ausdruck einer religiösen Wahrheit gemeint.

Was die konkreten Verbindungen des »Simplicissimus« mit der pikaresken Tradition angeht, so bleibt zu berücksichtigen, daß Grimmelshausen kein Spanisch verstand und daher die bedeutenden Werke aus den Anfängen des Schelmenromans nicht in ihrer originalen Fassung lesen konnte. Bekannt waren ihm die stark modifizierten deutschen Adaptionen des »Lazarillo« und vor allem die »Guzmán«-Bearbeitung des Aegidius Albertinus. Aus diesen Überarbeitungen der spanischen Picaro-Romane übernahm Grimmelshausen die starke religiöse Akzentuierung, die allerdings bei Mateo Alemán bereits angelegt war. Die Figur der geistlichen Mentoren, die den Schelm vom Weg der Sünde abzubringen suchen, und auch die Zahl dieser Mahner (nämlich sieben) ist ebenfalls aus dem deutschen »Gusman« übernommen. Außerdem hat man zeigen können, daß auch die konfessionelle Orientierung mit der des Albertinus übereinstimmt: Grimmelshausen verfolgt offensichtlich die Linie eines nachtridentinischen Katholizismus, nicht (wie früher bisweilen angenommen) die einer überkonfessionellen Richtung.

Die auffälligste Anknüpfung an das Schema der Picaro-Geschichte liegt darin, daß Grimmelshausen die Erzählform der fiktiven Autobiographie übernimmt. Die Position, von der aus Simplicius seinen Lebensbericht gibt, ist zu Beginn des Romans nicht deutlich exponiert. Erst am Ende der »Continuatio« wird von der Niederschrift berichtet, die sich auf der Robinson-Insel vollzieht:

> Zuletzt als ich mit hertzlicher Reu meinen gantzen geführten Lebens-Lauff betrachtete / und meine Bubenstück die ich von Jugend auff begangen / mir selbsten vor Augen stellte / und zu Gemüth führete / daß gleichwohl der barmhertzige GOtt unangesehen aller solchen groben Sünden / mich bißher nit allein vor der ewigen Verdambnuß bewahrt / sonder Zeit und Gelegenheit geben hat mich zu bessern / zubekehren / Ihn umb Verzeyhung zu bitten / und umb seine Gutthaten zudancken / beschriebe ich alles was mir noch eingefallen / in dieses Buch.

Immerhin wird schon vorher im Ablauf der Erzählung klar, welche Maßstäbe bei der wertenden Auseinandersetzung mit der eigenen Lebensgeschichte gelten. Besonders bei der Schilderung von Lebensabschnitten, die im Zeichen sündiger Verstrickungen stehen, schaltet sich der Autobiograph mit unzweideutigen Kommentaren ein. Im ganzen aber hält sich der erzählende Simplicius mit solchen erbaulich moralisierenden Einmischungen zurück. Meist ist die Perspektive des jungen, die Folge seiner Abenteuer absolvierenden Helden beibehalten. Damit sichert Grimmelshausen der Erzählung Frische und Unmittelbarkeit und vermeidet trockene Belehrung und predigthafte Direktheit. Zur Vermittlung dessen, was hinter der »kurtzweiligen Histori« steckt, bedient sich Grimmelshausen nicht nur der gelegentlichen direkten Hinweise, sondern auch der allegorischen Verschlüsselung des höheren Sinnes und der Verdeutlichung durch die Einführung kontrastierender Motive (wie etwa der Gegenüberstellung von Olivier und Hertzbruder).

Wie schon im »Guzmán de Alfarache« so gerät auch im »Simplicissimus« die erzählerische Freude an der Vergegenwärtigung pikaresker Streiche in ein spannungsvolles Verhältnis zur Absicht moralisch-religiöser Belehrung. Diese Spannung zwischen im Grunde gegenläufigen Tendenzen ist dem Erzähler in Grimmelshausens Roman bewußt. Das zeigt eine ganze Reihe erklärender, entschuldigender und Mißverständnisse abwehrender Bemerkungen. Ganz offensichtlich aber verschafft sich das erzählerische Temperament immer wieder freien Lauf. Simplicius läßt sich zum Beispiel nicht abhalten, einige »Stücklein« aus seiner Soester Zeit zum besten zu geben: »ob sie schon nicht von *importanz* seyn / sind sie doch lustig zu hören«. Er äußert sich auch zu der Gefahr, daß die bisweilen drastische Erzählweise den erbaulichen Zweck stören könnte: Wer sich an unanständigen Ausdrücken stoße, der solle bedenken, »daß die Erzehlung leichter Händel und Geschichten auch bequeme Wort erfordern solche an Tag zugeben.« So sehr auch die »leichten Händel« die Aufmerksamkeit des Lesers auf sich ziehen mögen, es kann kein Zweifel bestehen, daß sie letztlich einem höheren Zweck dienen sollen, daß sie zur Demonstration göttlicher Güte und dem Leser zur Mahnung erzählt werden. Ohne Zweifel darf man die Widersprüche zwischen den asketischen Idealen des weise gewordenen Einsiedlers und der weltfreudigen Fabulierlust der Lebensgeschichte (die ja eben dieser Einsiedler niederschreibt) nicht psychologisierend zu einem kritischen Einwand gegen den Roman oder genauer: gegen die Glaubwürdigkeit seines Erzählers machen. Der hier bestehenden Spannung kann sich ein Werk kaum entziehen, das weltfreudiges Erzählen und Allegorie, das pikareske Lebensgeschichte und die Forderung nach christlicher Weltabkehr verbindet.

Grimmelshausens »Simplicissimus Teutsch« erweist sich der hier durchgeführten Betrachtung als bedeutender Beitrag zur Geschichte des Schelmenromans, der sich an die deutschen

Adaptionen der spanischen Muster anschließt, wenn er die Welt als den Spielraum der Fortuna und als Ort der Eitelkeit auffaßt und den Schelm am Ende als exemplarischen Büßer und Weltüberwinder erscheinen läßt. Grimmelshausens Behandlung des Gattungsschemas beweist dessen Flexibilität: Es fügt sich ohne Schwierigkeit einer allegorisierenden Darstellungsabsicht, die mit der farbigen Fülle der pikarischen Episoden zugleich eine religiöse Wahrheit anschaulich machen will.

V

Grimmelshausens »Courasche«, »Springinsfeld« und »Vogel-Nest«.

Viel eindeutiger noch als im »Simplicissimus« zeigen sich in Grimmelshausens »Courasche« (1670) die Charakteristika des pikaresken Romans. Auch hier ist die autobiographische Form benutzt, und inhaltlich geht es, wie das Titelblatt ankündigt, um die Geschichte einer »Ertzbetrügerin und Landstörtzerin«. Die Protagonistin des Buches setzt sich dezidiert und aggressiv in Gegensatz zu den in der Gesellschaft anerkannten Wertungen.

Die Courasche stammt wie die meisten Picaros aus obskuren Verhältnissen. Zwar stellt sich heraus, daß sie einen hochgestellten, früher sehr mächtigen Vater hatte. Aber dieser ist mittlerweile zum Erbfeind der Christenheit, zu den Türken, übergelaufen, und die Geburt des Kindes ist illegitim gewesen und nie anerkannt worden. Daß Grimmelshausen eine weibliche Figur in den Mittelpunkt eines pikaresken Romans stellt, ist nicht neu: In Spanien hatte es dafür bekanntlich mehrere Beispiele gegeben, deren wichtigstes, die »Pícara Justina« unter dem Titel »Die Landstörtzerin Iustina Dietzin Picara genandt« 1620/27 ins Deutsche übersetzt worden war. Grimmelshausen hat, wie man hat nachweisen können, dieses Buch gekannt.

Das Titelblatt der »Courasche« suggeriert mit seiner Inhaltsankündigung eine gleichmäßig fallende Tendenz der Lebensgeschichte: Erzählt werde, »wie sie anfangs eine Rittmeisterin / hernach eine Hauptmännin / ferner eine Leutenantin / bald eine Marcketenderin / Mußquetirerin / und letzlich eine Ziegeunerin abgegeben / Meisterlich agiret / und ausbündig vorgestellet.« Man hat immer wieder darauf hingewiesen, daß die Biographie der Courasche so einheitlich nicht verläuft. In der Tat heiratet sie nach dem Leutnant noch einmal einen Hauptmann, und relativ spät erst, nachdem sie schon böse Phasen der Erniedrigung durchlaufen hat, gelangt sie auf das dänische Schloß, wo sie von ihrem Liebhaber als Dame von hohem

Stand behandelt wird. Aber im ganzen ergibt sich doch der Eindruck eines Abstiegs, der durch eine stürmische Folge von Glücks- und Unglücksfällen, über sieben Ehen hinweg, über das Leben als Offiziersfrau, Regimentshure und Marketenderin bis zum Anschluß an die außerhalb der Gesellschaft stehenden Zigeuner führt.

Eine Besonderheit der »Courasche« gegenüber dem »Simplicissimus« und dem »Guzmán« ist das Fehlen moralisierender Kommentare im Gang der Erzählung. Darin liegt nun aber keineswegs ein völliger Bruch mit den Konventionen des pikaresken Erzählens, wie manche Kritiker gemeint haben. Ein Blick auf den »Lazarillo« oder den »Buscón« kann zeigen, daß der Schelmenroman auch ohne solche erbaulichen Exkurse auskommt.

Anders als Simplicius hat die Courasche am Ende nicht zur Reue und zur Aussöhnung mit Gott gefunden. Im Gegenteil: Sie lehnt die Möglichkeit einer Bekehrung, einer Änderung ausdrücklich ab. Manche Interpreten haben daher geglaubt, in der »Courasche« seien die moralischen Wertungen suspendiert. Allerdings greift ein solches Textverständnis zu kurz, da es nicht in Rechnung stellt, daß die gottlosen Äußerungen der Picara auf den Leser ganz anders wirken können als sie von ihr gemeint waren. Das zeigt schon ein Blick auf das erste Kapitel, in dem die Courasche den Leser direkt anspricht und dessen Erwartung diskutiert, in der Lebensgeschichte der Landstörtzerin ein Dokument der Reue und der bußfertigen Frömmigkeit zu finden. Diese Vorstellung des Lesers wird zunächst über zwei Seiten hinweg wortreich erörtert, dann aber höhnisch zurückgewiesen:

> Und wann ich solches erfahre / so werde ich meines Alters vergessen / und mich entweder wider jung / oder gar zu Stücken lachen! [. . .] darumb / daß ihr vermeinet / ein altes Weib / die des Lebens so lange Zeit wol gewohnet / und die ihr einbildet / die Seele seye ihr gleichsam angewachsen / gedencke an das Sterben / Eine solche / wie ihr wisset daß ich bin und mein Lebtag gewesen / gedencke an die Bekehrung!

Ganz offensichtlich stößt die Courasche als Erzählerin ihrer Lebensgeschichte mit dieser sarkastischen Bemerkung ihr Publikum vor den Kopf. Resultat ist, daß der Leser sich in Distanz setzt und in der Courasche nur ein böses Beispiel für obstinate Gottlosigkeit sehen wird. Sie selbst stellt sich nur in einer Hinsicht als Muster hin, nämlich als »Exempel, daß alte Hund schwerlich bändig zu machen«. Nur die »Zugab des Autors«, ein kurzer Anhang-Text, gibt einen ausdrücklichen moralischen Kommentar, eine Art Nutzanwendung und Mahnung für die männlichen Leser:

> Lasset euch auch fürterhin diese Lupas nicht bethören / dann einmal mehr als gewiß ist / daß bei Huren-Lieb nichts anders zu gewarten / als allerhand Unreinigkeit / Schand / Spott / Armuth und Elend / und was das meiste ist / auch ein böß Gewissen.

Diese erklärende Schlußbemerkung soll die moralische Perspektive klarstellen, aus der die Bekenntnisse der schamlosen Picara zu lesen sind. Es folgt dann noch eine kurze Erklärung über die Erzählmotivation der Courasche, die allerdings schon wiederholt im Text und auch im Titel »Trutz Simplex« verdeutlicht worden war. Offenbar ist es Grimmelshausen bei diesem kurzen Nachwort darum zu tun, seine Intention zu klären, den Blick des Lesers zu steuern und zu verhindern, daß dieser sich durch die selbstbewußte und auftrumpfende Pose der Courasche allzu sehr beeindrucken läßt.

Motiv für die offenherzige Lebensbeichte der Courasche ist die Absicht, sich an Simplicius zu rächen und ihn zu kompromittieren:

> Demnach die Ziegeunerin *Courage* aus *Simplicissimi* Lebens-Beschreibung *lib. 5 cap.* 6 vernimmt / daß er ihrer mit schlechtem Lob gedenckt; wird sie dermassen über ihn erbittert / daß sie ihm zu Spott / ihr selbsten aber zu eigner Schand / (worum sie sich aber wenig bekümmert / weil sie allererst unter den Ziegeunern aller Ehr und Tugend selbst abgesagt /) ihren ganzen liederlich-geführten Lebens-Lauff an Tag gibt / um vor der gantzen Welt gedachten *Simplicissi-*

mum zu Schanden zu machen; weiln er sich mit einer so leichten Vettel / wie sie eine zu seyn bekennet / auch in Wahrheit eine gewesen / zu besudeln kein Abscheuen getragen.

Je schonungsloser sie ihre Laster und Untaten vor der Öffentlichkeit ausbreitet, umso nachdrücklicher glaubt sie Simplicius zu blamieren, weil jetzt jedermann weiß, »mit was vor einem erbarn Zobelgen er zu schaffen gehabt«.

Man hat durchaus einleuchtend darauf hingewiesen, daß diese Begründung nicht ganz überzeugen kann, weil Simplicius den Namen der Courasche in seinem Bericht nicht genannt hatte und auch das ganze Abenteuer ihrer Begegnung in Sauerbrunnen nur wenig Raum einnahm. In der Tat bleibt diese äußerliche Verknüpfung der beiden Romane schwach. Immerhin muß der Leser als Voraussetzung für die Erzählsituation der »Courasche« annehmen, daß die empörte und rachlustige Landstörtzerin »dem *Simplicissimo* zu Trutz« schreibt und daß diese Absicht den Grund für die Schonungslosigkeit gegenüber der eigenen Person liefert.

Grimmelshausen suchte bei der »Courasche« den Bezug zum ein Jahr vorher publizierten »Simplicissimus« sicherlich deshalb, weil er an dessen großen Erfolg anknüpfen wollte, vor allem aber, weil er mit dem neuen, kürzeren Buch eine Ergänzung zu dem bereits vorliegenden Roman geben wollte. Weil der »Simplicissimus« sehr viel umfangreicher und komplexer angelegt ist, wird man die »Courasche« nicht als vollwichtiges Gegenstück betrachten wollen. Immerhin ist sie als komplementäres Werk, als erhellende Ergänzung zu lesen: Dem positiven Beispiel des Simplicius, der nach seiner pikarischen Fahrt durch die Welt wieder zu Gott zurückfindet, ist das negative Exempel der hartnäckig auf der Bahn des Bösen bleibenden Courasche entgegengestellt.

Frappierend ist die Direktheit, die Schamlosigkeit, mit der die Landstörtzerin von sich redet und den Gedanken der Umkehr von sich weist. Daß sie keine Reue spürt und aus Überzeugung sündigt, sagt sie gleich zu Anfang. Ungeniert nennt sie sich eine »verlassene Soldaten-Hur« und spricht von ihren »ohnersättlichen fleischlichen Begierden«. Die Möglichkeiten, ihrem Leben eine andere Wendung zu geben, schlägt sie in den Wind und bleibt bei ihrer wilden Existenz als Prostituierte und Kriegsfurie: »Aber ich liese meiner unbesonnenen Jugend weder Weißheit noch Vernunfft einreden / sondern je toller das Bier gebrauet wurde / je besser es mir schmeckte.«

Auf solche Weise wird die Courasche zu einer negativen Beispielsfigur. In ihrer Neigung zu hemmungsloser Bereicherung, zur Unzucht und zu brutaler Gewaltanwendung, aber auch mit ihren verführerischen Eigenschaften wird sie zu einer Allegorie der gottlosen Diesseitigkeit. Unter Betonung dieses Aspektes hat man versucht, Grimmelshausens »Courasche« nach der patristisch-mittelalterlichen Interpretationslehre vom mehrfachen Schriftsinn zu deuten. Bei solcher Betrachtung erscheint die Picara als eine Figuration der Frau Welt, in der auch Anklänge an das Bild der Venus und der Fortuna spürbar werden. Der moralische Sinn des Buches liegt ganz offensichtlich in der Warnung vor den Versuchungen der Welt, wie sie die »Zugab des Autors« formuliert. In anagogischer (das Seelenheil betreffender) Bedeutung ist die Courasche als »Vorläuferin des Antichrist« aufzufassen (M. Feldges).

Die offensichtliche Gefahr solcher systematisch durchgeführter allegorischer Deutung liegt hier wie beim »Simplicissimus« darin, daß die erzählte Geschichte, ihr pragmatischer Zusammenhang und ihr Realitätsgehalt verdrängt und aufgelöst werden. Damit aber droht eine erhebliche Verkürzung der Werkdeutung. Denn die epische Substanz der Fabel und der zentralen Figur hat für das Werk im ganzen hohes spezifisches Gewicht, und die erzählerische Lust an der Mitteilung amüsanter, kurioser und irritierender Dinge ist unüberhörbar. Diese Dimension des Textes bleibt bei einer Werkdeutung ganz unberücksichtigt, die sich ausschließlich auf die spirituellen Sinnkomponenten des Textes kapriziert.

Eine ähnliche Tendenz zur Vernachlässigung der konkreten Erzählsubstanz des Textes kann sich bei der einseitigen Betonung eines astrologischen Sinnes einstellen. Auch wenn ausdrückliche und eindeutige Hinweise im Text fehlten, so hat man argumentiert, müsse die »Courasche« unter diesem Deutungsaspekt gesehen werden, weil alle anderen Texte der Simplicianischen Schriften nach einem astrologischen Schema gestaltet seien. Das bedeutet, daß der Handlungszusammenhang der Erzählung durchgängig auf das angenommene astrologische Bedeutungssystem bezogen wird, daß also beispielsweise die Courasche ihren Hof »aus astrologischem Grund« kauft, nämlich um das okkulte Sinngefüge des Romans stimmig werden zu lassen. Andere, psychologisch einsehbare und aus dem äußeren Zusammenhang ihrer Lebensgeschichte ableitbare Motive sollen demgegenüber gar keine oder nur eine untergeordnete Rolle spielen. Es ist evident, daß eine solche Betrachtung die Fabel und die Figuren des Romans nur als Funktionen eines komplizierten Sinn-Spiels auffassen kann.

Diese Tendenz zu einer Vernachlässigung der epischen Substanz von Grimmelshausens Romanen wirkt bedenklich. Daß die erzählerische Freude an der Bewegtheit einer pikaresken Geschichte und an der suggestiven Beschwörung einer turbulenten Wirklichkeit im »Simplicissimus« und in der »Courasche« eine bestimmende Rolle spielen, bezeugt jede Lektüre, die sich für die ästhetischen Reize dieser Romane und für das schriftstellerische Temperament ihres Autors einen Blick bewahrt hat.

Nicht bestritten werden soll, daß die pikareske Erzählsubstanz das Werk nicht erschöpft, sondern daß zusätzliche Bedeutungsschichten in ihm angelegt sind. Problematisch bleibt aber, ob diese so streng systematisierbar sind, und ob sie das Werk so ausschließlich bestimmen, wie das manche Interpreten angenommen haben.

Das pikareske Gattungsschema tritt in Grimmelshausens »Courasche« – wie überall sonst – mit charakteristischen Modifikationen und in spezifischer Funktion auf. Das »emblematische Zeitalter« benutzt auch die Schelmengeschichte, um verschlüsselte Bedeutungen mitzuteilen, und imputiert ihr einen moralischen und religiösen Sinn. Dabei kann vorausgesetzt werden, daß das lesende Publikum der Epoche mit den Formen allegorischen Ausdrucks vertraut war. Man sollte aber auch in Rechnung stellen, daß die Leser den handfesten epischen Vordergrund des Romans zu schätzen wußten. Wohl nicht zuletzt wegen der erzählerischen Qualitäten, die Grimmelshausen unter Benutzung des pikaresken Formschemas entfaltete, hatten seine Romane ihren überwältigenden Erfolg.

Wie die einzelnen Teile des Simplicianischen Romanzyklus untereinander verknüpft sind, läßt sich gut an dem folgenden, achten Buch zeigen, das den Titel »Der seltzame Springinsfeld« (1670) trägt. Als Erzähler tritt hier jener Schreiber auf, dem die Courasche ihren »Trutz Simplex« diktiert hatte. Dieser Schreiber, der auf der Suche nach einer Anstellung durch die Lande zieht, trifft in einem Gasthaus Simplicius (der von seiner Insel nach Europa zurückgekehrt ist) und Springinsfeld, die er beide aus der Geschichte der Courasche bereits kennt. Man ißt und trinkt zusammen und gerät dabei in lange Unterhaltungen. Die beiden bereits vorliegenden Teile der Simplicianischen Schriften werden kommentiert, wobei natürlich die Bemerkungen des Simplicius zur Rezeption seiner Lebensgeschichte besonderes Interesse auf sich ziehen. Er sagt, es reue ihn, »daß er so viel lächerlich Ding hinein gesetzt; weil er sehe / daß es mehr gebraucht werde / an statt des Eylnspiegels die Zeit dardurch zuverderben / als etwas guts daraus zulernen.« Die pädagogische Absicht ist also die Hauptsache, die amüsanten Episoden sind bloß Mittel zum Zweck. Nötig waren sie deshalb, »weil vast niemand mehr die Warheit gern blos beschauet oder hören will«.

Das erste Drittel des Buches ist der Entwicklung der Gesprächs-Situation und der Erzählung des Schreibers über seine Begegnung mit der Courasche und ihrer Zigeunerbande gewidmet. Die beiden folgenden Drittel enthalten die Lebensgeschichte des Springinsfeld, die dieser auf den Wunsch des Simplicius hin erzählt. Der pikareske Charakter dieser Biographie wird schon von der Ankündigung des Titelblatts illustriert: »Kurtzweilige / lusterweckende und recht lächerliche Lebens-Beschreibung. Eines weiland frischen / wolversuchten und tapffern Soldaten / Nunmehro aber ausgemergelten / abgelebten doch dabey recht verschlagnen Landstörtzers und Bettlers.«

Pikaresker Erzähltradition entspricht die Darstellung in der Ich-Form, die allerdings in die schon geschilderte Gesprächs-Situation eingebettet ist. Die Bemerkungen der anderen Teilnehmer an der Unterhaltung, vor allem die des Simplicius, ersetzen hier den moralisierenden Kommentar, der sonst häufig die Schelmengeschichte begleitet. Springinsfeld kann diesen Kommentar selbst nicht geben, weil er zum Zeitpunkt seines Berichts noch nicht die Höhe eines religiös-moralisch fundierten Lebensüberblicks erklommen hat. Vielmehr erklärt er am Schluß, er fühle sich in seinem Bettler- und Vagabundenleben so wohl, daß er keinen Grund wisse, »ein anders und seeligers Leben zu verlangen.« Simplicius indessen mahnt ihn zu Umkehr und Buße. Erst in einem Nachtrag zur Lebensgeschichte Springinsfelds, den der Schreiber liefert, ist davon die Rede, daß der Picaro noch vor seinem Tode »ein Christlichs und bessers Leben zuführen bewögt worden.«

Springinsfeld berichtet von einer – bei pikaresken Romanhelden obligatorischen – zweifelhaften Herkunft: Er ist unter fahrendem Volk, als Sohn eines Seiltänzers und einer entlaufenen Tochter aus gutem Hause, geboren worden. Den größten Raum in seiner Lebensgeschichte nehmen seine Abenteuer während des Dreißigjährigen Kriegs ein, die ihn mit ihrem ewigen Auf und Ab als »des Glückes Ball« erscheinen lassen. Es liegt ihm fern, sich an eine der miteinander streitenden Parteien gebunden zu fühlen: »und demnach mirs gleich golte / ob Kayser oder Schwed siegen werde / wann ich nur mein Theil auch davon kriegte.« Sein Egoismus, seine Habsucht, der Ehrgeiz, »ein Kerl von *aestimation*« zu werden, halten ihn bei dem blutigen Geschäft des Krieges. Nach dem Friedensschluß läßt er sich als Gastwirt nieder, heiratet und steuert eine durch soliden Reichtum gesicherte Stellung in der Gesellschaft an. Die maßlose Habsucht seiner Frau indessen und die Mißgunst seiner Mitbürger treiben ihn wieder in den Kriegsdienst. Er kämpft in Ungarn gegen die Türken und kehrt als Bettler zurück, was allerdings durchaus erträglich ist, da die Gläubigen dem Veteranen des Glaubenskrieges bereitwillig spenden.

Einen ehrlichen Beruf zu ergreifen und sich in die Schranken eines ordentlichen Lebens zu fügen, weist Springinsfeld von sich. Er macht vielmehr »mit allerhand Bettlern und Landstörtzern gute Bekannt: und Cammeradschaft«. Auf einem Jahrmarkt heiratet er eine Leier-Spielerin, die Tochter eines blinden Bettlers, mit der er als Musikant auftritt. Seine Frau entdeckt durch Zufall ein Vogelnest, das die wunderbare Eigenschaft besitzt, unsichtbar zu machen. Springinsfeld zuckt vor den Möglichkeiten, die dieser Fund eröffnet, zurück: »Ehe ich mich in eine solche Gefahr begeben: und allererst in meinen alten Tagen widerum auffs stehlen legen wolte / so wolte ich ehender das Nest verbrennen.«

Seine Frau verläßt ihn und benutzt die Zauberkraft des Nestes zu bald schwankhaften, bald kriminellen Streichen, die sie am Ende das Leben kosten. Springinsfeld nimmt wieder Kriegsdienste und kämpft für die Venezianer in Kreta gegen die Türken, bei welcher Gelegenheit er ein Bein verliert. Nach Deutschland zurückgekehrt, schließt er sich aufs neue den Landstreichern an. Um ihn von seiner Schelmenexistenz abzubringen und ihn zu religiöser Besinnung zu führen, bedarf es – wie schon angedeutet – der segensreichen Einwirkung des Simplicius. Möglich ist das, weil Springinsfeld kein verstockter Sünder ist wie die Courasche, was sich etwa in seinem Zurückschrecken vor der Versuchung des Vogelnestes zeigt.

Mit diesem Requisit ist das Zaubermotiv für die beiden Bücher eingeführt, die den Simplicianischen Erzählzyklus abschließen: die zwei Teile des »Wunderbarlichen Vogel-Nests« (1672/75). Der erste enthält die Geschichte eines jungen Burschen, der mit Hilfe des zauberkräftigen Talismans den Trug und den Wahn der Welt durchschaut. Es entsteht ein episodisch angelegtes Erzählwerk, das ein satirisch gezeichnetes Weltpanorama entwirft. Aber auch der Besitzer des Vogelnests selbst macht sich schuldig, entschließt sich zur Abkehr von der Welt und verzichtet schließlich auf das magische Requisit.

Der zweite Teil enthält die Geschichte eines Kaufmanns, der von den Übeltaten berichtet, die er mit Hilfe des Nestes begangen hat. Auch dieser Lebenslauf endet mit der Bekehrung zum Guten. Dadurch ergibt sich die für viele pikaresken Erzählwerke seit dem »Guzmán von Alfarache« charakteristische Brechung der Schelmen-Episoden im Medium selbstkritisch-erbaulicher Reflexion.

So sehr auch in diesen beiden letzten Teilen der Simplicianischen Schriften Affinitäten zur Tradition des Picaro-Romans bestehen, so sehr ist doch der Ton der Erzählung durch die Einführung des zauberkräftigen Nestes verändert. Zwar hatten ähnliche Motive im »Simplicissimus« und in der »Courasche« nicht gefehlt, aber sie hatten dort nicht die zentrale Bedeutung, die dem Vogelnest in den beiden letzten Teilen zukommt. Immerhin zeigt sich auch hier noch, wie sehr die pikareske Erzähltradition Grimmelshausens Romanschaffen geprägt hat.

VI

Der Einfluß pikaresker Romane aus Frankreich und England auf die deutsche Literatur des späteren 17. Jahrhunderts – Der »politische Roman« Christian Weises – Johann Beer: »Jucundissimus«, »Narrenspital«, »Winter-Nächte« und »Sommer-Täge«.

Auch nach Grimmelshausen lassen sich Spuren des pikaresken Erzählens im deutschen Roman des 17. Jahrhunderts erkennen. Allerdings erfährt die Gattung weitere Modifikationen, die bis zur Aufgabe wichtiger Charakteristika der älteren Schelmenromane führen. Auch jetzt macht sich der Eindruck ausländischer Muster wieder stark bemerkbar.

Im Jahre 1672 erscheint ein Werk mit dem Titel »Der Simplicianische Jan Perus«, eine Übersetzung der ersten beiden Teile des »English Rogue« von Richard Head und Francis Kirkman (1665/71). Dieser englische Roman hatte viele Details aus den spanischen und französischen Schelmengeschichten übernommen, er bezieht indessen – anders als die älteren Muster – die bürgerliche Sphäre ausführlicher in die Darstellung ein. Nach einer Serie von bedenklichen, teilweise kriminellen Episoden gibt der Held seine pikareske Unbeständigkeit auf und beginnt eine Laufbahn als ordentlicher Kaufmann.

Schon diese Andeutungen zeigen, daß sich die Tendenz und auch der Stoffbereich des pikaresken Erzählens zu ändern beginnen. Der Schelm erscheint nicht mehr – wie bei Mateo Alemán, bei Aegidius Albertinus oder Grimmelshausen – als Sünder, dessen Leben in religiösen Kategorien gedeutet wird, sondern er wird eindeutiger als Verbrecher betrachtet, dessen Taten nach weltimmanenten Kriterien, etwa unter dem Gesichtspunkt ihrer Asozialität beurteilt werden. Diese Orientierung ist auch spürbar in den aus dem Holländischen übertragenen Romanen »Der ruchlose Student« (1682), »Das Verderbte Kind« (1687) und »Die Verblendende Jungfrau« (1690). Die Titelfiguren stammen hier aus reputierlichen Verhältnissen, geraten aber auf die schiefe Bahn und geben sich all jenen Dingen hin, die durch die bürgerliche Moral verboten sind.

Rettung vermittelt hier nicht mehr – wie bei Grimmelshausen – die Abwendung von der Welt und die Hinwendung zu Gott, sondern die endliche Rückkehr zu den moralischen Standards der Gesellschaft.

Die Tendenz zur »Verbürgerlichung des Pikaro« (A. Hirsch) hatte sich schon in der französischen Übersetzung von Quevedos »El Buscón« bemerkbar gemacht. Sie erschien 1633 unter dem Titel »L'avanturier Buscon, histoire facecieuse« und ist einem ansonsten nicht bekannten Autor namens La Geneste zugeschrieben, den man neuerdings mit Paul Scarron zu identifizieren versucht hat. Die Übertragung nahm sich, was einer damals verbreiteten Gewohnheit entsprach, große Freiheiten gegenüber dem Original, so daß ein Werk völlig neuen Charakters entstand. Der französische Bearbeiter läßt seinen Helden aus den Verstrickungen der asozialen Schelmenwelt hinausfinden, indem er eine (zwar durch windige Machenschaften angebahnte, aber dann von der Braut doch akzeptierte) Heirat eingeht, durch die er Zugang zur ehrbaren bürgerlichen Welt findet. Damit ist der Pessimismus Quevedos überwunden: Dessen Don Pablos war bekanntlich immer tiefer in die Sphäre des Verbrechens abgeglitten und hatte nie die mit verzweifelten Mitteln angestrebte soziale Anerkennung erreicht.

Als 1671 die erste deutsche Übertragung des »Buscón« erscheint, da liegt ihr nicht das spanische Original, sondern die optimistischere französische Version zugrunde. Wichtig für das Fortwirken der pikaresken Gattung in Deutschland war ferner Charles Sorels »La vraye histoire comique de Francion« (1623/1626/1633). Das Buch wurde 1662 ins Deutsche übersetzt (»Warhafftige und lustige Histori Von dem Leben des Francion«) und wird von Grimmelshausen und Johann Beer in ihren Romanen erwähnt. In der Ich-Form des ersten Teils und in der panoramatisch-satirischen Gesellschaftsdarstellung zeigt das Werk Parallelen zum älteren Picaro-Roman (den Sorel übrigens in seiner »Bibliothèque francaise« von 1664 bei den »romans comiques« figurieren ließ). Ein wichtiger Unterschied liegt allerdings darin, daß Sorels Francion adliger Herkunft ist, was sein Verhalten und seine Erwartungen in Liebesdingen deutlich prägt und ihn von den spanischen Schelmen abhebt.

Die Abschwächung der barocken, streng religiös orientierten Weltdeutung im letzten Viertel des 17. Jahrhunderts führte dazu, daß der Picaro-Roman sich stark veränderte und jedenfalls in der von Grimmelshausens »Simplicissimus« realisierten Form verschwand. Allerdings sind in der Romanliteratur der Zeit allenthalben formale und inhaltliche Spuren der Gattung anzutreffen. Das gilt beispielsweise für den »Politischen Roman«, dessen wichtigste Autoren Christian Weise und Johann Riemer sind. Die Werke dieses Typs stellten sich die Aufgabe, Weltkenntnis und moralisch-praktische Orientierung zu vermitteln. Sie benutzten dazu in der Regel ein episodisches Erzählen, das durch die Wiedergabe einer Reise seinen Rahmen bekommt. So wird in Weises »Die drey ärgsten Ertz-Narren In der gantzen Welt« (1672) ein junger Mann durch eine Testamentsklausel verpflichtet, in einem Saal seines Schlosses die drei größten Toren, die er finden kann, abmalen zu lassen. Das veranlaßt eine Ausfahrt, auf der diese Muster extremer Narrheit ermittelt werden sollen. Die häufig behauptete Affinität dieses Werks und überhaupt des »Politischen Romans« zu den Konventionen pikaresken Erzählens bleibt schwach und liegt allenfalls in der episodischen Bauform und in der satirischen Intention.

Deutlicher ist der Eindruck der pikaresken Erzähltradition im Romanwerk Johann Beers zu spüren. Dieser Autor war völlig vergessen, als Richard Alewyn ihn 1932 in einem berühmt gewordenen Buch wieder ans Licht zog und ihn als »einen der begnadetsten deutschen Erzähler« bezeichnete, der »im ganzen Grimmelshausen ebenbürtig« sei. Diese etwas überschwenglich klingenden Charakterisierungen dürften wohl zum guten Teil auf Alewyns Entdeckerfreude zurückzuführen sein, aber es ist nicht zu bezweifeln, daß einige der Bücher Beers wegen ihrer urwüchsigen Erzähl-Laune und wegen ihrer Unbekümmertheit in Fragen der literarischen Konvention in ihrer Epoche eine einzigartige Stellung einnehmen.

Alewyn schon und ihm folgend spätere Literaturhistoriker haben einen Teil von Beers literarischen Arbeiten als Picaro-Romane qualifiziert. Daneben hat man parodistische Ritterromane, Bücher im Stil des Politischen Romans und schließlich schwer rubrizierbare Mischgebilde und die von Alewyn so getauften »Reiferomane« (»Die teutschen Winter-Nächte« und »Die kurzweiligen Sommer-Täge«) unterschieden.

Beer hat wohl kaum Kenntnis der spanischen Schelmenromane gehabt. Er erwähnt jedoch einige neuere Titel aus dem Umkreis der Gattungsgeschichte, nämlich den »Francion«, den »Jan Perus« und den »Simplicissimus«, letzteren sogar häufiger, woraus zu schließen ist, daß Grimmelshausens Roman Beer nachhaltig beeindruckt hat.

Zu jenen Texten, die in Johann Beers umfangreichem Werk dem Picaro-Roman am nächsten stehen, gehört »Jucundi Jucundissimi Wunderbarliche Lebens-Beschreibung« (1680). Die Erzählung ist in der obligaten Ich-Form abgefaßt und schildert den Lebensweg eines Helden aus kleinen Verhältnissen. Allerdings ist Jucundus nicht Diener vieler Herren, und er durchläuft keine bewegte Folge von Abenteuern. Sondern er wird schon in früher Jugend (und gleich zu Beginn des Romans) von einer vornehmen Dame gleichsam in Besitz genommen, die auf der Suche nach ihrer entlaufenen Tochter durch das Heimatdorf des Jungen kommt. Jucundus bleibt auf dem Schloß der Dame, er wird dort Verwalter und lernt Latein. Nach einigen kleinen Begebenheiten, bald abenteuerlichen, wie dem Auftreten betrügerischer Schatzgräber, bald ergötzlichen, wie einer Theater-Aufführung tölpelhafter Bauern, kommt es am Ende zur Hochzeit mit der zurückgekehrten Tochter der Schloßherrin. Damit hat Jucundus, dem zum Picaro schon die äußere Bewegtheit und Unsicherheit des Lebensganges fehlt, eine anerkannte und komfortable soziale Position erreicht, die allerdings schon zu Beginn des kurzen Romans in Sicht gekommen war, als ihn die vornehme Dame unter ihre Fittiche nahm.

Charakteristisch für die Beerschen Romane sind längere Einlagen, in denen die auftretenden Figuren ihre Schicksale berichten. Solche Einlagen sind auch im »Jucundus Jucundissimus« zahlreich. Im Ersten Buch erzählt die vornehme Dame ihre Erlebnisse, im Dritten Buch ist der Lebenslauf eines Studenten eingeschaltet, der viel deutlicher pikareske Züge trägt als die Geschichte des Titelhelden Jucundus. Der Student nämlich ist als Sohn eines Soldaten im Krieg zur Welt gekommen und früh verwaist. Er hat bei einer ganzen Reihe geiziger und absonderlicher Herrschaften gedient und sagt von sich, er sei »ein rechter Ball des Glücks gewesen, mit welchem fast alle Winde gespielt.«

Die Ezählung ist sehr locker komponiert und unterstellt sich keinem deutlich hervortretenden inhaltlichen oder formalen Konzept. Beers Romane, so meint Alewyn zu Recht, »sind Improvisationen, mit allen Mängeln der Flüchtigkeit behaftet und mit allen Gnaden der Leichtigkeit und der Unmittelbarkeit.« Wie sorglos Beer seine Romane schrieb, zeigt sich an zahlreichen Unstimmigkeiten. Zu Beginn des »Jucundus« heißt es etwa, die Tochter der vornehmen Dame sei mit dem »Schindknecht« durchgegangen, also mit einem Mann aus der Schicht der »unehrlichen«, außerhalb der Gesellschaft stehenden Leute. Dadurch hat sich die Tochter ehrlos gemacht, so daß der Schmerz der Mutter doppelt groß sein muß. Gegen Ende des Romans wird aus dem »Schindknecht« der »Schmiedknecht«, und dieser ist – wie sich jetzt herausstellt – auch gleich nach der gemeinsamen Flucht ertrunken, so daß die Tochter ohne größere Schwierigkeiten wieder von der Mutter aufgenommen und mit Jucundus verheiratet werden kann. An diesem Detail ist ablesbar, wie Beer sich die Motive und die Konstellation der Figuren zurechtschiebt, um seine Erzählung voranzubringen.

Vergleicht man den kleinen Roman mit Grimmelshausens Simplicianischen Erzählwerken, so erweist sich als wichtigster Unterschied, daß hier bei Beer nicht mehr religiöse und moralische Absichten im Vordergrund stehen. Die Intention des Buches ist offensichtlich, den Leser durch die Erzählung kurioser und sensationeller Vorfälle zu unterhalten, wobei Beer vor extremen Unwahrscheinlichkeiten in der Folge der

Geschehnisse nicht zurückschreckt. Pikareske Erzählsubstanz findet sich vor allem in den eingeschobenen Lebensläufen, wie in dem des Studenten oder auch in dem der entlaufenen Tochter, der allerdings auf wenige Zeilen zusammengedrängt ist, weil die Geschichte resolut dem Happy-End zugeführt wird.

Ist die vorbehaltlose Zurechnung des »Jucundus Jucundissimus« zum Schelmenroman schon problematisch, so gilt das in noch höherem Maße für ein Buch wie das »Narrenspital« (1681), das gleichwohl immer wieder von den Literaturhistorikern als pikareskes Erzählwerk rubriziert wird. Denn bei näherem Hinsehen erweist sich das Werk als ein Mixtum compositum höchst heterogener Motive und Formen. Das Buch setzt ein mit einer pikarischen Episode, nämlich mit dem Ausbruch des jungen Hans aus seiner Heimat. Die Wanderschaft ist jedoch nur kurz, denn die Erzählung führt ihren Helden sogleich als Diener zu einem trägen und unsauberen Landjunker, von dem eine derbe, satirische Charakterschilderung geboten wird. In der zweiten Hälfte geht das Werk in eine Narren-Revue über, zu deren Inszenierung das im Titel genannte Spital dient. Das aus diesen höchst verschiedenartigen Bestandteilen zusammengefügte Buch läßt sich kaum als Picaro-Roman bezeichnen, wenn der Gattungsbegriff nicht alle Bestimmung verlieren und ganz in der Kategorie des niedrig-komischen Romans aufgehen soll.

Als die originellste und beste der literarischen Arbeiten Beers gilt der Doppelroman von den »Teutschen Winter-Nächten« und den »Kurzweiligen Sommer-Tägen« (1682/83). Auch bei der Deutung dieser umfangreichen Werke hat man Affinitäten zur Tradition des pikaresken Erzählens erkennen wollen. Allerdings handelt es sich hier nicht mehr um die Lebensgeschichte einer einzelnen Hauptfigur, sondern um die Darstellung des Lebens einer Gruppe. Beherrschend ist auch nicht ein niederes soziales Milieu und damit der Blick von unten auf die Gesellschaft, sondern es geht um die Schilderung des übermütigen Treibens einiger lebenslustiger Landadliger. Das Titelblatt der »Sommer-Täge« verspricht eine »ausführliche Historia, in welcher umständlich erzählet wird, wie eine vertraute adelige Gesellschaft sich in heißer Sommerszeit zusammengetan und wie sie solche in Aufstoßung mancherlei Abenteuer und anderer merkwürdiger Zufälle kurzweilig und ersprießlich hingebracht.«

Die Differenz zu Thematik und Struktur des Schelmenromans ist also offensichtlich genug. Es gibt jedoch auch deutliche Spuren pikaresker Muster. Zu denken ist dabei vor allem an den Anfang der »Winter-Nächte«, wo Zendorio, der Ich-Erzähler, als mittelloser Vagant auftritt und in rätselhafte Abenteuer hineingerissen wird. Als er sich plötzlich gefangen und in eine »Marterkammer« eingesperrt sieht, erinnert er sich der »tausend Schelmstücklein, die ich hin und wieder sowohl öffentlich als heimlich, absonderlich aber mit Frauenzimmer begangen.«

Zum pikaresken Schema scheint es zu passen, daß Zendorio offenbar niedriger Herkunft ist. Er bezeichnet sich zunächst als Sohn eines »Mesners«, später aber kann er nicht leugnen, als Sohn eines Schinders großgeworden zu sein. Dadurch zerschlägt sich die Aussicht auf eine glänzende Heirat, und Zendorio ergreift voll Scham und Verzweiflung die Flucht. Wenig später erfährt er allerdings, daß er aus einer adligen und begüterten Familie stammt. Die Verwirrung rührt daher, daß Zendorios Vater seinen Sohn wegen einer obskuren Zigeuner-Prophezeiung beim Schinder hatte aufziehen lassen. Nun, da dieser Zusammenhang ans Licht kommt, steigt Zendorio mit einem Schlage aus den Niederungen pikarischen Vagantentums in den privilegierten Stand eines Landedelmannes auf. Er tritt in die Gesellschaft anderer junger Adliger ein, die sich einer ungebundenen Lebensweise erfreuen und ihre Zeit mit mehr oder weniger derben Späßen und Streichen hinbringen. Das mag zwar Parallelen zu manchen Episoden pikaresker Erzählwerke haben (in denen ja Schwankhaftes häufig seinen Platz fand), aber hier sind die Figuren des Romans durch ihre Zugehörigkeit zum Adel, durch ihre Bindung an eine Familie und die Abwesenheit aller ökonomischen Nöte doch vom Klima des älteren Schelmenromans erheblich entfernt.

Immerhin erleben sie erstaunliche Glückswechsel und

Überraschungen (wie etwa die Aufdeckung von Zendorios Herkunft, die sich in ähnlicher Weise bei anderen Figuren des Romans wiederholt). Solche Erfahrungen lassen sie bisweilen ein Lebensgefühl äußern, das mit der Betonung des Fortuna-Motivs an die barocke Haltung erinnert. Aus seinen Erlebnissen zieht Zendorio einmal die Folgerung, »daß uns das Glück gleich einem runden Ballen gebrauchet und uns bald an diesen, bald an jenen Ort ganz wunderbarlich in der Welt herumgeschmissen.« Daraus werden jedoch keine religiösen Konsequenzen gezogen: Die Welt von Beers Roman ist nicht von christlichem Ethos geprägt, sondern bestimmend ist eine unbeschwerte Lebensfreude, eine stets zu Possen aufgelegte gute Laune, die sich auch durch Todesfälle in der näheren Verwandtschaft nicht irritieren läßt. Zwar tritt am Ende der »Winter-Nächte« das Einsiedler-Motiv und eine fromm begründete Weltabsage hervor, aber wie sich dann zu Beginn der »Sommer-Täge« zeigt, ist die Einsiedelei nur ein Gesellschaftsspiel, ein der Abwechslung halber unternommenes Experiment mit einer naturnahen Lebensform, nicht ein radikaler, durch eine asketische Frömmigkeit motivierter Entschluß.

Wie sich hier die Differenz zu Grimmelshausens »Simplicissimus« mit Händen greifen läßt, so zeigt sich auch in der Darstellung der gesellschaftlichen Welt ein Bruch mit dem herkömmlichen pikaresken Erzählen. Alewyn hat schon zu Recht von einer »völligen Umkehrung der sozialen Perspektive« gesprochen, »indem nun die Ebene der Handlung völlig in die Edelwelt hinaufverlegt wird und die pikareske Welt sich nun unterhalb der Ebene des Erzählers entfaltet.« Man hat im Blick auf das Ganze der beiden Romane nur von einer »Schwundform der Gattung Pikaroroman« sprechen wollen (H. Geulen). Verwandtschaftsmomente kann man sehen in der Ich-Form der Erzählung, in der episodischen Anlage des Ganzen, vielleicht auch – wie Alewyn möchte – in dem Temperament der adligen Protagonisten, die »äußerlich seßhaft, aber innerlich ungebunden« sind. Allerdings klingen die Bekenntnisse der Figuren ganz anders als das Gesetz, unter dem die malträtierte und nur mit Findigkeit und Frechheit behauptete Paria-Existenz des Picaro steht. Isidoro, einer von Beers amüsierlustigen Landjunkern, erklärt: »Ich bin ein Cavalier von lustigem Humor, und solche Lustbarkeit schätze ich höher als die höchste Ehre dieses ganzen Landes. Ich habe wohl das Herz, Bettelleute auf der Gasse anzupacken und mit denselben eins herumzutanzen, und wenn ich auf mein Schloß komme, so fresse ich ein gebraten Rebhuhn und bin so ehrlich als zuvor.«

Man wird die pikareske Substanz der Beerschen »Winter-Nächte« und »Sommer-Täge« weniger in der Haupterzählung über die fröhlichen Landadligen und ihre unaufhörlichen Gastereien suchen dürfen als in den eingelegten Lebenslauf-Erzählungen. Denn hier kommen andere, sozial tiefer gelegene Lebensbereiche zur Sprache. Zendorio, der Erzähler der »Winter-Nächte« erklärt, daß er »mit niemandem lieber als denjenigen geredet, die das Land auf und ab gereiset.« Er fügt hinzu: »Ja, ich kann es mit gutem Gewissen sagen, daß kein Bettler sicher vor mein Schloß passieren können, der mir nicht seinen ganzen Lebenslauf von Wort zu Wort erzählen müssen.« Symptomatisch ist etwa der Lebenslauf eines »Seilfahrers«, der durchaus pikarischen Charakter trägt: Erzählt wird von niederer Herkunft, von Schulstreichen und einem wechselvollen Wanderleben, das nicht zu einer gesicherten Position in der Gesellschaft führt. Charakteristisch für Beers Spiel mit der Identität seiner Figuren ist, daß es gar kein Seilfahrer ist, der diese Geschichte erzählt, sondern ein verkleideter Adliger. Später tritt jedoch ein Student auf, um dessen Lebensgeschichte es sich in der Seilfahrer-Erzählung in Wahrheit gehandelt hat.

Die einzelnen Geschichten sind einander sehr ähnlich, auch die Figuren gewinnen nur wenig unterscheidendes Profil. Beers Aufmerksamkeit richtet sich ganz auf die einzelne Begebenheit, die er möglichst unmittelbar vor das Auge des Lesers bringen will. Er macht von der Möglichkeit erzählerischer Vorgriffe und rückblickender Kommentierungen nur sparsamen Gebrauch, um den Leser immer auf der Höhe des Vorgangs zu halten und um ihn so durch Überraschungseffekte frappieren zu können. Der autobiographische Erzählrahmen böte eigentlich für eine distanzierte und aus der Überschau wertende Entfaltung der Geschichte die besten Möglichkeiten, aber Beer erzählt gleichsam reflexionslos, das heißt ohne Abstand zum Ereignis. Zendorio erklärt zum Beispiel am Anfang der »Winter-Nächte« nicht seine Herkunft, sondern er läßt den Leser zunächst in dem Glauben, er sei ein Mesners-Sohn, dann suggeriert er, der Schinder sei sein Vater, bis endlich die adlige Abstammung offenbar wird. Ähnlich hält er es mit der Schilderung seiner Gefangenschaft: Der Leser erfährt die Hintergründe der Episode erst *post festum*, genau wie der Held der Geschichte, während der Erzähler sich hütet, mit vorweggenommenen Erklärungen die spannungsvolle Ungewißheit aufzuheben. »Also hat der geneigte Leser«, so kommentiert der Erzähler, »umständlich verstanden und ist zugleich mit mir aus dieser Unordnung herausgekommen, in welcher ich bis gegenwärtige Stund dergestalten verwickelt war.« »Gegenwärtige Stund« meint nicht den Zeitpunkt des Erzählens, sondern den Moment, in dem sich der Held der erzählten Geschichte befindet.

Ob man Beers Konzentration auf den Augenblick des erzählten Ereignisses, die deutlich spürbare Bejahung einer farbigen, in ihren sinnlichen Qualitäten erfahrbaren Wirklichkeit »realistisch« nennen darf, über dieses Problem gibt es eine von großen terminologischen Unklarheiten belastete, bislang ziemlich fruchtlose Diskussion unter den Literaturhistorikern. Unbestreitbar ist jedoch, daß sich bei Beer ein in seiner Zeit ganz ungewöhnliches, unkonventionelles und unbefangenes Erzählen zeigt, das an sich selbst sein Genüge findet und seine Figuren und den verwicklungsreichen Stoff mit großer Lust und Verve vorführt. Andererseits läßt sich jedoch nicht verkennen, daß die in den »Winter-Nächten« und »Sommer-Tägen« dargestellte Form adliger Geselligkeit sich kaum als soziale Realität denken läßt und daß sie deutliche Charakteristika eines Ideal- und Wunschbildes zeigt.

In gattungsgeschichtlicher Hinsicht hat man erkennen wollen, daß sich bei Beer der Picaro-Roman in einen Abenteuerroman umwandle: Das Verblassen des religiösen Hintergrundes führe dazu, daß bei den Beerschen Romanfiguren ein ganz neues Lebenskonzept hervortrete. Der Horizont der Existenz sei nicht mehr durch religiöse Sinngebungen festgelegt, vielmehr sei zu erkennen, »wie bei einem schrittweisen Vordringen von einer Episode zur nächsten sich das eigene Leben vor dem Helden öffnet«. Das aber soll bedeuten: »Der neue Held, der Abenteurer des Pikaroromans, wird zu einer der frühesten Erscheinungsformen des zu einem persönlichen Schicksal befreiten Individuums« (A. Hirsch).

Diese Interpretation, die ausdrücklich auf den »Verliebten Österreicher« und auf die »Winter-Nächte« und »Sommer-Täge« zielt, scheint jedoch überzogen. So weitgehende Thesen können angesichts des schon von Alewyn konstatierten Mangels an individueller Lebenssubstanz in den Figuren der Beerschen Romane nicht einleuchten. Es ist eben nicht so, daß die Protagonisten der »Winter-Nächte« ihre Erfahrungen bewußt auf eine als offen und problematisch empfundene Lebensentwicklung beziehen, sondern die Charakterisierung der Gestalten bleibt ganz von den Situationen abhängig und ist im Gang der Erzählung keineswegs konstant.

Im strikten Sinn wird man Beers Romane nicht »pikaresk« nennen können, auch nicht den meist als Schelmenroman eingeordneten »Jucundus Jucundissimus«. Aber es sind doch zahlreiche Anlehnungen an den Schelmenroman in Struktur und Thematik erkennbar. Beer benutzte das herkömmliche Schema, die Erzählweise in der Ich-Form und die episodische Anlage, für seine besonderen Zwecke. Um noch einmal Richard Alewyn zu zitieren: »Durch die überlieferte Form war gerade für das vorgesorgt, wozu Beer das Talent oder die Geduld fehlte: Komposition und Aufbau, oder vielmehr diese waren auf die zwangloseste und kunstloseste Art entbehrlich gemacht«. Nun wäre es allerdings verfehlt, anzunehmen, der Picaro-Roman sei grundsätzlich kunstlos und erlaube keine durchdachte und bedeutungsvolle Komposition. Der Blick auf die klassischen Beispiele der Gattung, auf den »Lazarillo«, auf Quevedos »Buscón« und Grimmelshausens »Simplicissimus«, beweist das Gegenteil. Aber die von Episode zu Episode fortschreitende Schelmengeschichte läßt sich auch als ein einfaches, gleichsam naturwüchsiges Erzählmuster verstehen, das eine anspruchslose Organisation der Ereignisse bei der erzählerischen Darbietung ermöglicht. Auf diese Weise hat Beer sich der pikaresken Form bedient, wobei sich eine deutlichere Ausprägung allerdings nur noch in den Lebensgeschichten zeigt, die dem Gang der Romanerzählung als selbständige Einlagen eingefügt sind.

VII

Der Avanturier-Roman – Schnabels »Cavalier« – Defoe, Lesage, Smollett – Fehlen des pikaresken Romans in der deutschen Literatur des 18. Jahrhunderts.

In der Romanliteratur des 18. Jahrhunderts lassen sich Spuren des pikaresken Erzählens im sogenannten »Avanturier-Roman« vermuten. Diese Variante des Abenteuer-Romans war bis 1760 weit verbreitet und wird auf das zuerst 1695 erschienene Buch »Den Vermakelyken Aventurier« des Holländers Nicolaas Heinsius zurückgeführt. Eine erste deutsche Übersetzung dieses Romans erschien 1714 unter dem Titel »Der kurtzweilige Avanturier«. In den folgenden Jahrzehnten schmückten sich dann die Titelblätter zahlreicher Romane mit dem Begriff »Avanturier«. Er diente offensichtlich als Lockmittel für ein Publikum, das bei einem durch Ereignisfülle und Spannung charakterisierten Lesestoff Unterhaltung suchte. Ähnlich verfuhren die geschäftstüchtigen Verleger freilich mit dem Namen des Defoeschen Robinson, den sie als eine Art Typenbezeichnung und Handelsmarke verwendeten. Die Wahllosigkeit der Titelgebung zeigt sich darin, daß ein 1724 erschienener Nachdruck des »Avanturier« von Heinsius »Der Niederländische Robinson« heißt und daß die erste deutsche Übersetzung des »Gil Blas« von 1726 sich als »Der spanische Robinson« ankündigt.

Der Begriff »Avanturier« begegnet bereits im Titel der französischen Adaption von Quevedos »Buscón«. Wie schon erwähnt, hatte diese französische Bearbeitung des spanischen Originals als Grundlage der ersten deutschen Ausgabe gedient, die 1671 unter dem Titel »Der Abentheuerliche Buscon, Eine kurtzweilige Geschicht« gedruckt wurde. Man hat nachzuweisen versucht, daß auf diesem Umweg die pikareske Erzähltradition auf die Genese des deutschen Avanturier-Romans Einfluß genommen habe (D. Reichardt). Allerdings ergibt die detaillierte Analyse, daß dieser Einfluß relativ schwach war und sich mit Fortschreiten der Zeit rasch verflüchtigte.

Typische Merkmale des Avanturier-Romans sind, daß der Protagonist aus den besseren Ständen, zumindest aus dem begüterten Bürgertum stammt, daß er meist eine sorgfältige Erziehung genossen hat und daß er deshalb am Ende seiner Geschichte zu einer anerkannten und gesicherten Position in der Gesellschaft finden kann. Es ist offensichtlich, daß dieses Schema von den älteren spanischen Schelmenromanen abweicht: Diese waren in der Regel charakterisiert durch eine scharfe Spannung zwischen dem Außenseiter und der feindlichen Gesellschaft. Anders hatte sich auch der deutsche Picaro-Roman bei Grimmelshausen mit seiner religiös motivierten Weltverneinung präsentiert. Dem Avanturier dagegen wird die Eingliederung in die bestehende Gesellschaft möglich. Bei der Darstellung seiner Lebensgeschichte liegt das Hauptgewicht auf den sensationell zugespitzten Einzelepisoden, das heißt auf der Ebene des Geschehens, nicht auf der satirisch akzentuierten Schilderung breiter Weltausschnitte oder auf der sozialen Spannung zwischen dem Außenseiter und dessen abweisender Umwelt.

Immerhin konnten sich formale Parallelen zum Schelmenroman aus der episodischen Struktur und der nicht selten gewählten Ich-Form der Avanturier-Geschichten ergeben. Die Grenze zwischen den beiden Romantypen erscheint daher bisweilen fließend, wie sich etwa an Karl Friedrich Troeltschs »Geschichte einiger Veränderungen des menschlichen Lebens« (1753) zeigt. Die Folge abenteuerlicher »Veränderungen«, die bis in die Sklaverei bei den Heiden in Afrika führt, dient natürlich der Unterhaltung, sie soll aber auch dem Leser nahelegen, sich gegen die Unbeständigkeit der Welt mit stoischem Gleichmut und religiöser Fassung zu wappnen:

> Wenn man glüklich ist, so folget bald eine traurige Abwechselung eines unangenehmen Zufalls. Aber auf diesen folget gemeiniglich wieder Freude und Lust. Man fasse sich daraus den Schluß, daß man sich weder von dem einem noch von dem andern verführen lasse, sondern alles zu seiner Besserung anwende.

Am Ende aller Schicksalsstürme steht ein idyllisches, zufriedenes Leben auf dem Lande, unter Freunden, bei bildender Lektüre, dosierter Arbeit und maßvollen Genüssen. Asketische Vorstellungen werden ausdrücklich zurückgewiesen, die Vorzüge irdischer Reichtümer ganz ungeniert gepriesen:

> Unter allen Umständen ist das Geld gut. Wer eine gute Bedienung, eine artige Frau, einen anständigen Hausrath, gute Gesellschafften und Bücher haben will, muß vor allen Dingen Mittel besitzen. Ein Armer muß alle diese Vortheile entbehren. Man sieht nicht einmal, daß er Verdienste hat.

Troeltschs Roman steht in der Bauform und in der Anlage einzelner Episoden noch in der Nähe des pikaresken Erzählens, er besitzt aber einen Helden, der nicht als pikarischer Außenseiter, sondern als Opfer des launischen Schicksals erscheint und sich am Ende aufgrund seiner Klugheit und seines soliden Reichtums im sicheren Port etablieren kann.

Es sind vor allem Unterhaltungs- und Kompensationsbedürfnisse, denen der Avanturier-Roman entgegenkommt: Die Helden dieser Geschichten, meistens Adlige oder Bürger, die sich in die große Welt mischen, erleben in der Rolle des Abenteurers all das, was dem lesenden Publikum in seiner eigenen eingeschränkten Lebenserfahrung verschlossen blieb. Ein kurioses Beispiel für diesen Romantypus bietet Johann Gottfried Schnabels »Der im Irr-Garten der Liebe herum taumelnde Cavalier« (1738). Das Buch tritt dadurch in eine besondere Affinität zum älteren pikaresken Erzählstil, daß es die aus einer Vielzahl einzelner Abenteuer bestehende Lebensgeschichte seines Protagonisten explizit auf religiös-moralische Prinzipien bezieht und eine fromme Sinnesänderung ans Ende der Erzählung stellt. Zwar ist nicht die im Picaro-Roman übliche Ich-Form gewählt, aber das Vorwort entwickelt die Fiktion, daß die Geschichte auf das »in italienischer Sprache geschriebene Diarium« eines zu hohen Ehren gelangten Herrn von St* zurückgehe. Als Held der Erzählung wird »ein gewisser deutscher Cavalier, den wir Gratianum von Elbenstein nennen wollen«, eingeführt. Seine Abenteuer bestehen darin, daß er von einer Liebesaffäre in die nächste taumelt. Wegen seiner Freiheiten *in eroticis* war der Roman lange berüchtigt. Noch Erich Schmidt bezeichnete am Ende des 19. Jahrhunderts den »Cavalier« als »Schandbuch«. In der Tat geht es in Schnabels Roman recht handfest zu: Die ersten dreißig Seiten präsentieren dem Leser ein amouröses Abenteuer mit einer Nonne in der Sakristei einer Klosterkirche sowie die Affäre mit einer vornehmen Dame, zu der sich Elbenstein von einer Kupplerin bringen läßt.

Die erotischen Episoden sind etwas monoton inszeniert und geraten in der unermüdlichen Wiederholung unfreiwillig ins Komische. Irritierend ist, daß der Erzähler und Elbenstein selbst die lasziven Abenteuer mit erbaulichem Räsonnement begleiten. Das Vorwort schon unterstreicht die hochmoralischen Absichten des Buches. Der Herr von St*, dessen Jugenderlebnisse den Stoff des Romans abgeben, erklärt, die Veröffentlichung der Geschichte solle den Zweck haben, »andern jungen Leuten, sie mögen Adelige oder Unadelige sein, zum Spiegel und zur Warnung [zu dienen], sich vor den Lüsten des Fleisches zu hüten; denn der Himmel läßt dieselben doch nicht ungestraft, und welches am schlimmsten, wo nicht hier zeitlich, doch dort ewig.« Diese pädagogische Erwägung hindert nun keineswegs, daß die Erzählung sich detailreich auf die Sünden einläßt und die fragwürdige Neugier des Publikums befriedigt.

Auch Elbenstein selbst schwankt zwischen Reue und Besinnung auf der einen Seite und fortwährenden Rückfällen auf der anderen. Am Ende des ersten Romanteils faßt er den ernstlichen Entschluß zur Besserung und reist »mit größter Gelassenheit und lauter christlichen Gedanken« von Italien nach Deutschland zurück. Das hält Elbenstein jedoch nicht davon ab, sich sofort wieder in eine Affäre mit einem vornehmen Fräulein und zugleich mit deren Zofe einzulassen.

Erst ganz am Ende des Romans wird ein tiefer wirkendes geistliches Erweckungserlebnis geschildert, von dem der Leser annehmen soll, daß es den Helden definitiv auf andere, tugendhaftere Bahnen bringt. Nach einem Gewitter, das Elbenstein zur Übernachtung in einer Ruine zwingt, hat er eine bizarre Erscheinung. Er sieht eine ganze Reihe von Personen und erkennt in ihnen mit Schrecken »seine vor vielen Jahren gehabten Amouren und Mätressen«:

> Als er nun dieselben etwas genauer betrachtete, ward er gewahr, daß aus dieser sonst schönen und angenehmen Personen Augen, Munde, Nasen und Ohren lauter feurige Schlangen herausgekrochen kamen. Als ihm nun dieselben eine lange Weile erschreckliche Blicke gegeben, hoben sie zugleich ihre Unterkleider auf und zeigten ihm einen solchen Anblick, daß auch der Beherzteste darüber in Ohnmacht sinken mögen. Lauter Schlangen, Eidechsen, Kröten und dergleichen giftiges Gewürm bedeckten ihre Beine und diejenigen Teile des Leibes, mit welchem vor diesem am meisten und schändlichsten war gesündigt worden, in welcher Positur sie insgesamt mit gräßlicher Stimme »Weh! Weh! Weh! Zeter und Mordio!« ausriefen und endlich ein abscheuliches Geheul anstimmten.
> In solchen Ängsten fiel Elbenstein das Bußlied ein »Wo soll ich fliehen hin«, und als er an den Vers kam, »Du bist der, der mich tröst«, verschwand dieses schreckliche Gesicht, es wurde so finster als vorher im Gewölbe.

Der Schock dieser Schreckensvision, so will es der Roman, bewegt Elbenstein, sein Lotterleben aufzugeben und in Zukunft eine gottgefällige Existenz zu führen.

Schnabels Buch bietet ein merkwürdig widersprüchliches Bild: Einmal richtet sich sein Interesse sehnsüchtig auf die sündhaften Freuden, von denen offensichtlich angenommen wird, daß sie in der großen Welt unaufhörlich an der Tagesordnung sind. Andererseits finden sich immer wieder zerknirschte Bekenntnisse zu einer asketischen Moral. Die lüsterne Neugier aufs Laszive steht ganz unvermittelt neben der Verurteilung solcher Neugier. Schon das Titelblatt läßt diese Widersprüchlichkeit spüren: Es kündigt die Erzählung der »Liebes-Exzesse« eines »vornehmen Deutschen von Adel« an und versichert gleichzeitig, daß der Roman nur »allen Wollüstigen zum Beyspiel und wohlmeinender Warnung« gedacht sei.

Höhere literarische Ansprüche hat Schnabels Roman nicht. Die bequeme episodische Anlage ist aus der pikaresken Erzähltradition übernommen, wohl auch die Technik, einen bedenklichen Lebenslauf mit moralischen Räsonnements zu durchsetzen. Selten aber sind die erbaulichen Passagen so eindeutig ein Alibi des Autors, mit dem er sich gegen den Vorwurf der Sittenlosigkeit salvieren wollte. Die Richtung seines nur schlecht kaschierten Darstellungsinteresses ist es, die das Buch literatursoziologisch interessant macht: Es bezeugt nämlich, daß sich Teile des bürgerlichen Lesepublikums durch ein abenteuerlich und libertinistisch gesehenes Adelsleben faszinieren ließen.

Weit lebendiger als in der deutschen Literatur des 18. Jahrhunderts ist das pikareske Erzählen in England und Frankreich, bei Autoren wie Defoe, Smollett und Lesage. Defoes pikareske Romane wie »Moll Flanders« (1722) oder »Colonel Jacque« (1723) stehen in einer weit zurückreichenden englischen Überlieferung der Literatur des »low life«. Ihre Anfänge hat sie im 16. Jahrhundert bei Autoren wie George Whetstone und Thomas Nashe. Das bedeutendste Beispiel des 17. Jahrhunderts, das sich offensichtlich auf die spanischen Schelmenromane zurückbezieht, ist der »English Rogue« von Richard Head und Francis Kirkman. Zur Charakterisierung dieses literaturgeschichtlichen Zusammenhangs spricht man von einem »englischen Pikarismus«. Das berühmteste Beispiel dieser ganzen Tradition ist Defoes »Moll Flanders«, deren Verbrecher-Vita in der Ich-Form erzählt und in einer Kette von Episoden ausgebreitet ist. Wenn bei den männlichen Picaros meist die verschiedenen Dienstherren die einzelnen Abschnitte des Schelmenlebens markieren, so sind es bei Moll Flanders (wie schon bei der Landstörtzerin Courasche) die verschiedenen Ehemänner. Die Diskrepanz zwischen der wüsten Biographie der Titelheldin und der erbaulichen Kommentierung der Geschichte ist ein handfestes Beispiel für jene Ambivalenz des pikaresken Erzählens, die in der Spannung zwischen der Amoralität des Schelms und dem Moralismus des Erzählers spürbar wird. Diese Spannung ist seit dem »Guzmán de Alfarache« immer wieder in den Werken der pikaresken Gattung zu registrieren und stellt den Interpreten auch bei Defoe vor schwierige Deutungsprobleme.

Das wichtigste Beispiel für das Fortwirken der pikaresken Erzähltradition in Frankreich ist Alain René Lesages »Gil Blas«. Lesage ist auch als Bearbeiter einiger wichtiger spanischer Schelmenromane, des »Guzmán« und des »Estebanillo Gonzalez«, hervorgetreten. Die Veränderung dieser Texte unter den Händen des französischen Romanciers ist beträchtlich: Im »Guzmán« wird das *Converso*-Problem und die *Desengaño*-Thematik eliminiert, und die langen erbaulichen Exkurse werden als »moralitéz superflues« gestrichen.

Der »Gil Blas« verlegt seine Handlung nach Spanien und lehnt sich insbesondere in den ersten Teilen so eng an die älteren Muster an, daß man das Buch lange Zeit für das Plagiat eines spanischen Originals gehalten hat. Voltaire schreibt in seiner Übersicht über die Literatur aus der Zeit Ludwigs XIV. lakonisch: »Sein Roman *Gil Blas* hat überdauert, weil er frische Natürlichkeit besitzt. Er geht ganz auf einen spanischen Roman mit dem Titel *La vidad de lo escudiero dom Marcos d'Obrego* [sic!] zurück.« Dieser Vorwurf ist bis weit ins 19. Jahrhundert hinein ernsthaft diskutiert worden. In der Tat gibt es Anlehnungen an Espinels Roman und an andere spanische Texte, aber an der Selbständigkeit des Buches kann natürlich kein Zweifel bestehen, auch wenn man es neuerdings noch als »eine Summe spanischer Erzählliteratur« bezeichnet hat (J. v. Stackelberg).

Lesage hat allerdings die Tendenz seiner Erzählung und die Charakterisierung seines Helden gegenüber den traditionsbegründenden Mustern des pikaresken Romans verändert: Er läßt Gil Blas eine Aufstiegsgeschichte durchlaufen, die ihn zu einem wohlverdienten innerweltlichen Glück führt. Damit wird ein versöhnlicher Ton bestimmend, der sich mit der sarkastischen Ironie des »Lazarillo« und mit der Weltverneinungs-Botschaft des »Guzmán« in deutlichen Kontrast setzt.

Man hat in dieser Tendenz des »Gil Blas« eine Verflachung des pikaresken Erzählens finden wollen. Das ist aber wohl ein allzu hartes Urteil. Man muß sehen, daß es schon bei den Spaniern selbst, nämlich besonders in Espinels »Marcos de Obregón« Ansätze zu einer solchen harmonisierenden Behandlung der pikaresken Grundkonstellation gab: Marcos ist bereits ein vom Makel ernsterer Verfehlungen befreiter Schelm, und das Buch Espinels im ganzen ist beherrscht von der optimistischen Annahme, daß trotz aller Mängel der Welt auf einen harmonischen Einklang von Tugend und Lebensglück gehofft werden darf. Hier knüpft Lesage an und gestaltet unter den veränderten Bedingungen des 18. Jahrhunderts eine von aufklärerischem Optimismus beeinflußte Variante des Picaro-Romans.

Im »Gil Blas« überwindet der Schelm sich selbst und läßt alle Unruhe, alle Nöte, alle kriminellen Neigungen hinter sich, – und zwar kraft seiner moralischen Besinnung. Das ist nicht nur an Gil Blas selbst vorgeführt, sondern auch an seinem Bedienten Scipion, dem Helden einer selbständigen, in den Roman eingeschobenen Picaro-Geschichte. Gil Blas kommentiert dessen Lebenslauf mit dem Satz: »Wenn Scipio in seiner Kindheit ein wirklicher Picaro gewesen ist, so hat er sich seither gebessert und ist das Muster eines vollkommenen Bedienten geworden« *(Si dans son enfance Scipion était un vrai Picaro, il s'est depuis si bien corrigé, qu'il est devenu le modèle d'un parfait domestique).*

Im späteren 18. Jahrhundert gibt es in den westeuropäischen Literaturen nur einen bedeutenden Autor, der sich noch deutlich an den pikaresken Romantypus anschließt: den Schotten Tobias Smollett. Sein erster Roman »The Adventures of Roderick Random« (1748) verweist im Vorwort auf das Muster des »Gil Blas«. Die Vorbemerkungen des Autors zu »The Adventures of Ferdinand Count Fathom« (1753) nennen als Vorbilder Alemán, Cervantes, Scarron und Lesage; und im »Peregrine Pickle« gar spielt der Held einen Streich aus dem »Gil Blas«, den er offenbar sehr gut kennt, bewußt nach.

Smollett knüpft an die pikareske Form des Romans an, um durch abenteuerliche Geschichten zu unterhalten und ein weitausladendes Weltpanorama erzählerisch zu entfalten, aber unverkennbar auch, um soziale Kritik zu artikulieren. Alles das war mit der überlieferten Form durchaus zu leisten. Bemerkenswert ist, daß Smollett zwar auf den englischen Roman des 19. Jahrhunderts, namentlich auf Scott und Dickens, stark gewirkt hat, daß jedoch die von ihm weitergeführte Form des Picaro-Romans nicht wieder aufgegriffen wurde.

Obwohl in England mit Defoe und Smollett und in Frankreich mit Lesage Autoren hervortraten, die erfolgreiche und bedeutsame Romane unter dem Eindruck der pikaresken Tradition schrieben, fehlen in der deutschen Literatur des 18. Jahrhunderts entsprechende Werke. Der Avanturier-Roman löst sich, wie angedeutet, in entscheidenden Punkten vom Muster des Schelmenromans. Und andere Texte, die man der Überlieferung des pikaresken Erzählens zurechnen wollte, erweisen sich bei näherem Hinsehen als unter diesen Gattungsbegriff kaum rubrizierbar. So hat man beispielsweise den »Schelmuffsky« Christian Reuters (1696/97) immer wieder in die Nähe des Schelmenromans gestellt, wohl wegen des redenden Namens der Titelfigur, aber auch wegen formaler Aspekte wie der Ich-Form der Erzählung und des episodischen Aufbaus. Man muß indessen im Auge behalten, daß der Held dieser »Warhafftigen Curiösen und sehr gefährlichen Reisebeschreibung Zu Wasser und Lande« kein Picaro ist, das heißt kein armer Teufel, der sich mit allen verfügbaren Mitteln in einer mitleidlosen und feindlichen Welt behauptet und diese Welt nur aus der Froschperspektive des Outcast wahrnimmt. Schelmuffsky ist vielmehr ein kümmerlicher und ungehobelter Aufschneider. Er möchte gern als Held einer fulminanten Lebensgeschichte erscheinen, dem allenthalben die Frauenherzen zufliegen, der es mit Dutzenden von Gegnern und mit gefürchteten Seeräubern aufnimmt und dem überall die höchsten Ehren und Ämter angetragen werden.

Das Buch bezieht seine Komik aus der Diskrepanz zwischen dem Anspruch und der kläglichen Wirklichkeit seines Helden, wobei Reuter sehr geschickt auf indirekte Weise dem Leser diesen Widerspruch bewußt macht. Die Anlage der Hauptfigur und die Stoßrichtung der Satire auf eben diese Figur hindern daran, den »Schelmuffsky« in die Tradition des deutschen Schelmenromans zu stellen.

Zwar erschienen die pikaresken Romane Defoes, Smolletts und Lesages im Lauf des 18. Jahrhunderts in zahlreichen deutschen Übersetzungen, aber ihr Muster hat eine originäre deutsche Produktion in diesem Genre nicht angeregt. Der »Gil Blas« hat Wieland für seinen »Don Sylvio« nur einige Elemente des Dekors und einige Namen geliefert; im ganzen war für diesen Roman über die Desillusionierung eines Schwärmers das Beispiel des »Don Quijote« von größerem Gewicht. In Johann Carl Wezels »Belphegor« ist die Aufgliederung der Romanerzählung in zahlreiche Episoden keineswegs Resultat einer Anlehnung an die pikareske Tradition, sondern sie ergibt sich aus der Demonstrationsabsicht des Voltaireschen »Conte philosophique«, das hier als Vorbild gedient hat.

VIII

Heines »Schnabelewopski« als singuläres Beispiel pikaresken Erzählens im 19. Jahrhundert – Gründe für das Zurücktreten des Schelmenromans im bürgerlichen Zeitalter – Pikareske Elemente in der Autobiographie des 18. und 19. Jahrhunderts.

In den großen westeuropäischen Literaturen tritt im Laufe des 18. und 19. Jahrhunderts der Schelmenroman zurück und scheint endlich fast gänzlich aus der Reihe der lebendigen literarischen Gattungen zu verschwinden. Immerhin haben zunächst noch einige bedeutende Autoren in Frankreich und England an die pikareske Tradition angeknüpft. Auch in Rußland, das erst um die Mitte des 18. Jahrhunderts Anschluß an die Romanliteratur der westlichen Nationen gewann, entstanden noch – nachdem 1754 eine Übersetzung des »Gil Blas« erschienen war, – eine ganze Reihe von pikaresken Werken. Höhepunkt dieser Entwicklung ist der bedeutende Roman »Ein russischer Gil Blas« *(Rossiskij Žilblaz)* von Vasilij Trofimowič Narežnyj aus dem Jahre 1814. In Deutschland scheint es dagegen seit der Aufklärung keine neuen Exemplare der Gattung mehr zu geben.

Zwar erschienen noch Übersetzungen der älteren pikaresken Romane, insbesondere nachdem sich durch die Romantik das Interesse für die spanische Literatur belebt hatte: Ludwig Tieck zum Beispiel veröffentlichte 1827 eine Übersetzung des »Marcos de Obregón«, und der »Gil Blas« blieb ein beliebtes und vielgelesenes Buch. Aber eine nennenswerte Fortsetzung und Weiterentwicklung der pikaresken Gattung läßt sich im bürgerlichen Zeitalter nicht aufweisen.

Es fehlt nicht an Versuchen, einzelne Werke dieser Epoche, beispielsweise Goethes »Wilhelm Meisters Lehrjahre« oder Kellers »Grünen Heinrich«, zum Schelmenroman in Parallele zu setzen. Solche Ansätze überzeugen allerdings ebensowenig wie der wiederholt gemachte Vorschlag, den »Taugenichts« Eichendorffs (1826) als pikareskes Erzählwerk zu interpretieren und in dessen Helden einen »späten Nachkommen aus dem Geschlecht Lazarillos« zu sehen. Man stützte sich bei dieser Einordnung auf die autobiographische Form der Erzählung und auf das Außenseitertum der Hauptfigur. Aber deren Aufbruch in die Welt ist nicht durch eine Notlage oder durch eine dubiose Herkunft erzwungen, sondern er ist Resultat romantischen Fernwehs. Das Auszugslied des Taugenichts, daß nämlich Gott den Wanderer in die weite Welt schicke, um ihm rechte Gunst zu erweisen, steht dem Geist der pikaresken Erzählung denkbar fern. Dort nämlich erwies sich die Welt als fremd und feindlich, und ihr war die Chance des Überlebens mühsam abzuringen. Auch wenn eine gewisse Neugier und Unruhe bereits die früheren Picaros angetrieben hatte, so war ihnen doch die Lust an der freien Natur und die Begeisterung an der Wanderschaft in einer poetisch verklärten Welt ganz wesensfremd geblieben.

Zwar erlebt auch der wandernde Taugenichts Momente der Bangigkeit und des Leidens an der Einsamkeit. Aber immer sieht er sich durch wohltätige Fügungen weitergeleitet, bis er endlich in einem märchenhaften Glück sein Ziel findet. In ernstliche Notlagen, aus denen er sich mit moralisch bedenklichen Mitteln retten müßte, gelangt er nie. Damit aber fehlt ihm das wesentlichste Charakteristikum, das den Schelm zum Schelm allererst macht. Wo die Welt auf diese Weise dargestellt ist und wo die zentrale Figur aller Auseinandersetzung mit der Gesellschaft überhoben ist, da ist der Abstand zu den Konventionen pikaresken Erzählens so groß, daß eine Beiziehung des Terminus »Schelmenroman« nur Verwirrung stiften kann.

Mit besseren Gründen läßt sich eine solche Affinität für Heinrich Heines Fragment »Aus den Memoiren des Herren von Schnabelewopski« (1834) behaupten. Neben der autobiographischen Erzählform deutet auch die episodische Bauweise und die starke Tendenz zur Gesellschaftssatire auf den pikaresken Roman zurück. Schon einer der ersten Rezensenten, Wolfgang Menzel, hat in dem Text »ungemein viel ächt Komisches, im Geist der älteren spanischen Romane« gefunden. Er begrüßt diesen Geist als Heilmittel gegen eine kraftlos und sentimental gewordene Literatur.

Heines Schnabelewopski ist nun aber kein Picaro nach dem überlieferten Muster: Er ist keineswegs ein Außenseiter vom Bodensatz der Gesellschaft, der um sein Überleben kämpfen müßte. Sondern er verhält sich eher kontemplativ, als ein kritischer Zuschauer und Genießer. Immerhin entspricht seine weltzugewandte Mentalität dem Realitätssinn des Picaro während seiner Schelmenlaufbahn. Auch die Halb-Außenseiterschaft des noch nicht durch Ehe und Beruf in die Gesellschaft integrierten Studenten schafft eine der pikaresken Existenz vergleichbare Grundsituation.

Bei genauerem Hinsehen zeigt sich, daß Heine nicht eine unveränderte Wiederholung der alten Romanform anstrebt; das wäre bei einem Autor, der die Geschichtlichkeit der Literatur so klar empfindet, auch nicht zu erwarten. Das pikareske Erzählen dient ihm vielmehr als Rahmen für seine besonderen Darstellungsabsichten, die sich vor allem auf eine satirische Schilderung bestimmter sozialer Verhältnisse (etwa der Hamburger Kaufmannsmentalität) richten. Das zweite Hauptthema ist die Polemik gegen die christliche Weltverneinung: Mit Emphase spricht Heine von der heiteren Zukunft, da »die Religion des Schmerzes erloschen ist und die Religion der Freude den trüben Flor von den Rosenbüschen dieser Erde fortreißt und die Nachtigallen endlich ihre lang verheimlichten Entzückungen hervorjauchzen dürfen«. Ein Gegenbild zu der noch herrschenden asketischen Lebensordnung bieten die erotischen und kulinarischen Abenteuer Schnabelewopskis.

Die Freiheiten der episodischen Form macht sich Heine mit einigen umfangreichen Einlage-Kapiteln zunutze. Daß er mit einem bisweilen forcierten Witz erzählt, bizarren Einfällen und der Lust am Wortspiel Raum gibt, findet Vorbilder in der pikaresken Überlieferung, wie ein Blick auf den Conceptismus von Quevedos »Buscón« zeigen kann. Heines »Schnabelewopski«, der zunächst als größeres Werk geplant war, stellt sich so als ein literarisches Experiment dar, das eine Neubelebung des pikaresken Erzählens erprobt. Das Buch blieb indessen Fragment, und Heines Versuch hat in seiner Epoche keinen nennenswerten Nachfolger gefunden.

Man hat schon früh erkannt, daß der Schelmenroman im 18. und 19. Jahrhundert mehr und mehr von der literarischen Szene verschwand, und man hat die verschiedensten Erklärungen für dieses Phänomen vorgeschlagen. Bisweilen hat man sich mit der schlichten Feststellung begnügt, die Gattung sei eben um die Mitte des 18. Jahrhunderts erschöpft gewesen (F. W. Chandler). Allerdings wäre dann schwer zu erklären, wie die Gattung im 20. Jahrhundert wieder zu Kräften kommen konnte und die Entstehung eines Buches wie des »Felix Krull« möglich wurde. Claudio Guillén hat die Meinung vertreten, das 19. Jahrhundert habe eben nicht mehr den Halb-Außenseiter in Gestalt des Picaro, sondern den radikalen Außenseiter, nämlich den Träumer, den Bohémien und den Revolutionär als Romanhelden geschätzt. Für die deutsche Romangeschichte trifft das allerdings nicht zu, wenn man die Hauptfiguren der wichtigsten Romane von Immermann, Stifter, Keller, Raabe und Fontane Revue passieren läßt. Schließlich hat man gemeint, den Niedergang des Schelmenromans damit erklären zu können, daß dem deutschen Bürgertum als der literaturtragenden Schicht die Kraft zur Satire gefehlt habe: Dadurch sei dem pikaresken Genre der Lebensnerv abgeschnitten worden. Erst in der Moderne, nachdem das Bürgertum sich fester etabliert und ein stabiles Selbstbewußtsein gewonnen habe, sei eine »Rückeroberung der pikaresken Form« möglich geworden (W. v. d. Will). Auch dieser Erklärungsversuch überzeugt nicht recht: Es gibt nämlich durchaus eine umfangreiche satirische Literatur im 18. und 19. Jahrhundert, nur bedient sie sich nicht der Form des Schelmenromans, sondern anderer Gattungen wie der Komödie, des Epigramms, der Verserzählung und kürzerer Prosaformen, auch des Romans, wie in Wielands »Abderiten«, aber bemerkenswerterweise eben nicht der pikaresken Form. Und daß erst im 20. Jahrhundert das bürgerliche Bewußtsein seine volle Stärke erreicht habe, will erst recht nicht einleuchten.

Der Grund für die Abwendung vom Schelmenroman

scheint vor allem darin zu liegen, daß die Figur des Picaro für bürgerliche Autoren und Leser keine Möglichkeiten der Identifikation bot, ja daß sie vor allem Vorbehalte und Ablehnung herausforderte. Denn die pikarische Lebenstechnik des parasitären Sich-Durchschlagens mit Hilfe moralisch bedenklicher Praktiken wie Betrug oder Gelegenheitsdiebstahl mußte vom Standpunkt wohletablierter Bürgerlichkeit her als Angriff auf die sittliche und ökonomische Ordnung erscheinen. Auch daß der Schelm außerhalb fester sozialer Bezüge in einer Art Vagabunden-Position steht, widersprach den bürgerlichen Harmonie- und Ordnungsvorstellungen. »Für einen Schriftsteller und ein Publikum«, schreibt Robert Alter, »die ein bestimmtes Ideal sozialer Konformität und Schicklichkeit hochhalten, ist der pikareske Roman keine reale Möglichkeit mehr.«

Als Romanthema sind nicht mehr die Nöte des Ausgeschlossenen, sondern die Schwierigkeiten der Anpassung interessant. Denn im Zeichen des Abbaus der alten Ständegesellschaft und der damit wachsenden sozialen Mobilität hegte das Bürgertum den optimistischen Glauben, daß sich dem Tüchtigen die Chance bietet, Schmied seines eigenen Glückes zu werden und in der Gesellschaft einen Platz zu fruchtbarer Tätigkeit und zur Verwirklichung eines individuellen Lebenssinns zu finden.

An die Stelle des Schelmenromans tritt unter diesen Voraussetzungen der Bildungsroman, der seinen Helden zu produktiver Integration in die Gesellschaft führt. Die Entwicklung hatte sich schon in den pikaresken Werken des 17. und 18. Jahrhunderts angedeutet: Der französische »Buscon« von 1633 hatte den Picaro bereits zu einem reputierlichen und angepaßten Glück finden lassen, und später ist es im »Gil Blas« und in den deutschen Avanturier-Romanen ähnlich. Die Weltbejahung der bürgerlichen Mentalität trat in deutlichen Gegensatz zu dem düsteren Pessimismus und zu den asketischen Idealen, die zentral wichtige Werke der älteren pikaresken Tradition bestimmt hatten.

Im Bildungsroman eine Art Nachfolger oder Stellvertreter des Schelmenromans zu sehen, liegt deshalb nahe, weil beide eine Reihe formaler Gemeinsamkeiten zeigen. Beide Romantypen sind um eine zentrale Figur angelegt, deren Lebensgang sie nachzeichnen; beide entwickeln aus dem Spannungsverhältnis zwischen Held und Umwelt ihre zentrale Thematik; und beide zeigen schließlich starke Elemente des »Raum-Romans«: die pikareske Erzählung führt meist in satirischer Absicht die Welt als feindliches Gegenüber des Schelms vor, der Bildungsroman schildert sie als Medium der Entwicklung und Ort der Erfüllung seines Helden. Die Differenzen der beiden Romantypen zeigen sich vor allem in der Anlage der zentralen Figur und in der einmal episodischen, im anderen Fall teleologisch orientierten Bauform.

Wenn es zutrifft, daß unter dem Eindruck der bürgerlichen Weltdeutung der pikareske Roman verschwindet, dann müßte umgekehrt zu erwarten sein, daß diese Gattung wieder hervortritt und als literarische Gestaltungsmöglichkeit wieder in den Blick kommt, wenn jene optimistische, Ich und Welt aussöhnende Weltanschauung zerfällt, die den Bildungsroman getragen hatte. Diese Vermutung bestätigt sich in der Tat in der Romangeschichte des 20. Jahrhunderts.

Daß es indessen auch im 18. und 19. Jahrhundert in der sozialen Wirklichkeit vielfach problematischer aussah, als das harmonisierende Konzept der Bildungsgeschichte erkennen ließ, spiegelt sich in einer Reihe von Autobiographien dieser Epoche. Auf diesem Feld hat offenbar das pikareske Erzählen überdauert, während es in der offiziellen und vielgelesenen fiktionalen Literatur hinter den Gattungen des Abenteuer- und des Bildungsromans verschwand.

Es zeigte sich, daß der Lebensstoff, aus dem die pikaresken Erzählwerke ihre Substanz bezogen hatten, nicht aus der Welt verschwunden war: Es gab weiterhin Außenseiter und Benachteiligte, die hart und zupackend um ihr Überleben und um einen Platz in der Gesellschaft kämpfen mußten. Gelang ihnen der Aufstieg, dann konnte der Bericht über die abenteuerlichen und wechselvollen Wanderjahre in den unteren Zonen der Gesellschaft als Vorstufe einer Erfolgsgeschichte dargestellt werden.

Die Affinität zwischen Autobiographie und pikareskem Roman liegt nicht nur in der beiden Gattungen gemeinsamen Form der rückblickenden Ich-Erzählung. Sondern auch inhaltlich hatten die pikaresken Romane nicht selten die Lebensgeschichten ihrer Autoren verarbeitet. Das gilt etwa für den »Marcos de Obregón« des Vicente Espinel, mit größter Wahrscheinlichkeit für den anonymen »Estebanillo Gonzalez« und hinsichtlich mehrerer bedeutsamer Stoff-Komplexe auch für Grimmelshausens »Simplicissimus«. Daß auch manche literarische Selbstdarstellungen sich pikareskem Fahrwasser nähern, belegen auf jeweils unterschiedliche Weise Benvenuto Cellini, Giacomo Casanova und überhaupt die Autobiographien vom Typus der »abenteuerlichen Lebensgeschichte«, die sich bis ins 16. Jahrhundert zurückverfolgen lassen.

Der Blick auf einige Beispiele soll das Überleben der pikaresken Erzählformen und -motive in den Autobiographien des 18. und 19. Jahrhunderts sichtbar machen. Einen ersten Beleg bietet das kuriose Buch »Leben und Ereignisse des Peter Prosch, eines Tyrolers von Ried im Zillerthal, oder Das wunderbare Schicksal« (1789). Man hat diese Selbstdarstellung geradezu einen »verspäteten Schelmenroman« genannt (R. R. Wuthenow). Eine solche Rubrizierung liegt nahe, weil Prosch die Position eines sozialen Außenseiters auf verschmitzte Weise ausbeutet. Prosch stammte aus sehr ärmlichen Verhältnissen. Als Dreizehnjähriger träumt er, die Kaiserin Maria Theresia habe ihn beschenkt und ihm den Bau eines kleinen Hauses ermöglicht. Er macht sich in die Residenz auf, wird wegen seiner rührenden Geschichte bei der Majestät vorgelassen und erhält wirklich das erträumte Geschenk. Dieses Ereignis verschafft ihm Zugang zu den höheren Kreisen der Gesellschaft, was er zu einem Gewerbe als ambulanter Handschuh-Händler ausnützt. Dabei versteht er es, sich als Unterhalter und eine Art Hofnarr angenehm zu machen. Gelegentlich muß er sich auch deftige Streiche spielen lassen, wobei seinem treuherzigen Bericht nicht zu entnehmen ist, ob er sie als zu seiner Rolle gehörig in den Kauf nimmt. Sein Selbstbewußtsein schöpft Prosch aus seinem engen Umgang mit den fürstlichen Herrschaften und aus seinem durch den Handel und die empfangenen Geschenke langsam wachsenden Wohlstand.

Deutlich pikareske Züge tragen auch die beiden ersten Bände der »Leben und Schicksale« Friedrich Christian Laukhards (1792). Ein bekannteres Beispiel bietet die Kriegs-Episode aus der »Lebensgeschichte« Ulrichs Bräkers (1789). Der Schweizer Bergbauernsohn war in den preußischen Kriegsdienst gepreßt worden und schildert den Sächsischen Feldzug, den Friedrich der Große im Sommer 1756 führte, aus der Froschperspektive des unfreiwilligen Zaungasts, der sich so bald als möglich aus dem Staub machen will. Aus der Berliner Kaserne gab es keine Fluchtmöglichkeit: Die Chancen des Durchkommens waren gering, und die von Bräker drastisch beschriebene Strafe des Spießrutenlaufens war fürchterlich. Erst der Krieg eröffnete die Möglichkeit des Entkommens, weil man hier vor der eigenen Armee hinter die Front des Feindes flüchten konnte.

Pikaresk ist der abenteuerliche Stoff des Hineinschlitterns eines naiven armen Teufels in den Kriegsdienst, aber auch das pfiffige, um heroische Ideen ganz unbekümmerte Denken ans eigene Überleben, das gleich bei der ersten Schlacht zur Desertion führt. Im ganzen aber ist Bräkers »Lebensgeschichte« keine pikareske Selbstdarstellung, vielmehr ist sie aus verschiedenen Quellen gespeist: Sie enthält Elemente der religiösen Autobiographie und der Familienchronik, und sie verdankt ihre Entstehung dem häuslichen Unglück ihres Verfassers, der sich Trost von seinen Erinnerungen erhoffte und dabei natürlich seinen schelmenhaft absolvierten Kriegsabenteuern einen besonderen Platz einräumt.

Schon der Titel läßt vermuten, daß der »Deutsche Gil Blas« der pikaresken Erzähltradition nahesteht. Das von Goethe 1822 herausgegebene Buch erweist sich durch seinen Untertitel als Autobiographie: Er verspricht »Leben, Wanderungen und Schicksale Johann Christian Sachses, eines Thüringers, von ihm selbst verfaßt«.

Sachse erklärt gleich im ersten Kapitel seiner Lebensbeschreibung, er habe »als eine Art Abenteurer in der Welt«

gelebt. Grund für die äußere Unruhe seines Lebens ist die ökonomische Unsicherheit, die wieder darin ihre erste Ursache hat, daß er durch die Familie keinen Rückhalt findet. Den Vater schildert er als einen unruhigen Projektenmacher, der durch Jähzorn und Leichtsinn immer wieder in die schlimmsten Lagen gerät und für seine große Familie nicht sorgen kann. Diese desolaten häuslichen Verhältnisse treiben Sachse bereits in jungen Jahren in extreme Unsicherheit und in eine vagabundierende, wahrhaft pikarische Existenz. Schon der Zehnjährige muß allein mit einem noch jüngeren Bruder viele Tagereisen hinter dem verschwundenen Vater herwandern. Mit zwölf Jahren kommt er als Arbeitskraft und Pflegekind zu einem Bauern, wo er jedoch gerne bleibt, da er hier im Gegensatz zu den Bräuchen des Elternhauses keine Prügel bezieht. Als Vierzehnjähriger beginnt Sachse eine Kaufmannslehre, die er jedoch abbricht, später wird er Schreiber, er arbeitet gelegentlich als Tagelöhner oder Kellner, wird im Krieg gegen das revolutionäre Frankreich sogar »Offiziant« des preußischen Feldproviantamts, muß sich aber meist als Bedienter bei einer langen Reihe von guten und schlechten Herren verdingen.

Sachses Lebensgeschichte ist reich an farbigen Episoden, und an deren Wiedergabe, am einfachen Erzählen der bald komischen, bald tristen Vorfälle hat die Selbstdarstellung ihr Genügen. Die kurzen Kapitel geben sich bald drastisch-schwankhaft, dann anekdotisch, bisweilen wird auch offensichtlich nach vordergründigen Effekten gehascht, etwa bei der Darstellung einer nächtlichen Wanderung, bei der Sachse die gruseligen Details häuft.

Ein übergreifendes Prinzip dieses Lebensgangs, ein Ziel der Entwicklung wird nicht erkennbar. Sachse ist froh, die Nöte des Tages zu überstehen, und eben das verbindet ihn mit dem Picaro, der auch in einer niedrigen sozialen Position um die Erhaltung der nackten Existenz kämpfen muß. In diesem Kampf sind Anpassungsfähigkeit und Wendigkeit, auch moralische Bedenkenlosigkeit vonnöten. Diese letztgenannte pikareske Qualität ist bei Sachse nicht sonderlich stark ausgeprägt. Es ist allerdings auch möglich, daß er sie in seiner Darstellung kaschiert, weil er die Aufmerksamkeit eines seriösen Publikums gewinnen will und weil er das Manuskript seinem Dienstvorgesetzten Goethe zur Veröffentlichung anvertraut. Immerhin berichtet er, wie er sich zu Kupplerdiensten für einen seiner Dienstherren einspannen ließ und wie er sich gelegentlich kleinere Betrügereien erlaubte.

Zum Lebensgang des Picaro gehört, daß er nicht den Gang der Dinge selbst gestaltet, sondern daß er wegen seiner ökonomischen Abhängigkeit immer ein Spielball der Verhältnisse bleibt. Sachse gelangt auch durch die Heirat nicht an einen festen Platz im gesellschaftlichen Gefüge. Er bleibt gezwungen, nach verläßlich zahlenden und ihr Personal nicht malträtierenden Dienstherren zu suchen. Er faßt endlich sogar den Entschluß, nach Ostindien, dann nach Amerika zu fahren, – aber diese Pläne zerschlagen sich wieder.

Das Wanderleben kommt zu einem Ende, als sich bei Sachse häufiger Krankheiten melden. Als fast Vierzigjähriger wird er endlich als Bibliotheksdiener in Weimar angestellt. Mit dem Bericht über dieses Ereignis schließt die Selbstdarstellung des deutschen Gil Blas: Weitere Abenteuer sind nicht mehr zu erwarten, nachdem der Picaro in sicherer Position vor Anker gegangen ist.

Fragt man nach dem Selbstverständnis dieses Autobiographen, so findet man nur schwer eine einheitliche Antwort. Eine ganze Reihe von Bemerkungen passen gut in das pikareske Schema, wie beispielsweise die Betonung des Vanitas-Gedankens oder die Maximen eines christlich gefärbten Fatalismus, der über Unglücksfälle und Fehler hinwegtröstet und ein Sich-Abfinden mit der oft kläglichen Lebenssituation ermöglicht. Am Ende des Berichts deuten sich andere, auf planvolle Aktivität und bürgerliche Tugenden ausgerichtete Prinzipien an: Zugleich mit dem Dienst an der Bibliothek habe er auch, so berichtet Sachse, die Pflichten eines Freimaurers übernommen, nämlich »zeitlebens als Erdenbürger für mein und anderer Wohl nach Kräften tätig zu sein, Gutes zu wirken, und die Erdenleiden standhaft zu ertragen.« Mit naivem Berufsstolz fügt er hinzu: »Einen Beweis meiner Tätigkeit wird man schon in 122 000 Büchern Großherzoglicher Bibliothek wahrnehmen, welche ich nach ihren Lokaten bezeichnet und gestempelt habe.«

Diese löblichen Grundsätze sind allerdings mehr eine fromme Verlautbarung als der wirkliche Leitfaden seiner späteren Jahre. Sachse lebte in dauerndem häuslichen Unfrieden, er wurde gelegentlich straffällig und kam zu Tode, als er in sein vagabundierendes Leben als alter Mann zurückfiel. Er wollte seine Krankheiten und die seines Sohnes auskurieren, indem er mit dem durch die Veröffentlichung seiner Lebensgeschichte verdienten Geld eine Badekur in Böhmen unternahm. Er wählte dafür, wie Goethe in einem kleinen Aufsatz mit dem Titel »Nekrolog des deutschen Gil Blas« berichtet, »von allen Arten des Fortkommens die wunderlichste, kaufte einen Holsteiner Wagen und ein Pferd [. . .] und begab sich [. . .] als zweiundsechzigjähriger Fuhrmann auf die Reise.« Er war jedoch den Strapazen des Kutschierens nicht mehr gewachsen und starb in Teplitz.

Goethe hat in seinen Bemerkungen zur Selbstdarstellung des »Deutschen Gil Blas« dieses Leben als paradigmatisch verstanden. Er sieht es als Beispiel für die unruhige, pikaresk umgetriebene Existenz eines Mannes aus den unteren Schichten. Goethe meint, »man dürfe es die Bibel der Bedienten und Handwerksburschen nennen, und es ist in den unteren Ständen wohl niemand, der seine Schicksale nicht hie und da abgespiegelt fände.« Aber auch allgemein als Bild der Existenz erschien Goethe das Buch bemerkenswert und wahr: Gerade indem es die Bruchstellen und Inkonsequenzen des Lebensprozesses sichtbar mache, entspreche es dem tatsächlichen Verlauf menschlicher Biographien. Auch die Geschichte eines einfachen Mannes verdiene Respekt, »weil es offenbar im Leben aufs Leben und nicht auf ein Resultat desselben ankommt, und wir den Geringsten mit Achtung anzusehen haben, wenn wir in seiner einfachen Geschichte bemerken, daß eine höhere Hand sich vorbehalten hat, unsichtbar einzugreifen, um dem verdüsterten trübseligen, im Augenblick Hülflosen über einige Schritte hinweg, auf eine glatte Bahn zu helfen.«

Die Selbstdarstellung Sachses ist der schlagende Beleg für die These, daß sich das pikareske Erzählen, während es auf dem Feld des Romans zurücktrat, in der Gattung der Autobiographie behaupten konnte. Daß Goethe für diese Lebensbeschreibung den Titel »Der deutsche Gil Blas« wählte, ist deutliches Indiz dafür, daß er eine solche Selbstschilderung aus den niederen Rängen der Bedienten und Nicht-Etablierten ganz bewußt in die Tradition des Schelmenromans stellte.

IX

Thomas Mann: »Bekenntnisse des Hochstaplers Felix Krull«.

Daß pikareske Erzählmuster und Motive dann wieder hervortreten, wenn der optimistische Glaube an die Möglichkeit produktiver Lebensbewältigung sich verflüchtigt und damit der Bildungsroman seine ideelle Basis verliert, kann das Beispiel von Thomas Manns »Felix Krull« (1911/1937/1954) zeigen. Der Autor hat dieses Buch als Versuch verstanden, »den deutschen Bildungs- und Entwicklungsroman, die große deutsche Autobiographie als Memoiren eines Hochstaplers zu parodieren.« Die Neigung zur Parodie ergab sich aus dem Zweifel an der literarischen Tradition und an der harmonisierenden bürgerlichen Lebensdeutung. Vor diesem Hintergrund konnte aus dem Helden des Bildungsromans eine außerhalb der etablierten Ordnung stehende pikarische Figur werden, die Darstellung der Gesellschaft nahm satirische Züge an, und die teleologisch ausgerichtete Entwicklungsgeschichte verwandelte sich in eine locker gereihte Folge von Episoden. Thomas Mann selbst hat mit der ihm eigenen künstlerischen Bewußtheit diese Tendenzen registriert und in seinen Selbstkommentierungen ausgesprochen.

Die Kritiker und Literaturhistoriker sind den Hinweisen Thomas Manns meist gefolgt und haben den »Felix Krull« als Schelmenroman interpretiert. In der Tat liegen die Reminiszenzen an pikareske Werke offen zutage. Daß sich auch manche Unterschiede zu den spanischen Picaro-Romanen des 16. und 17. Jahrhunderts zeigen – wie etwa der spielerische Umgang mit mythologischen Assoziationen – ist angesichts des enormen historischen Abstands selbstverständlich. Daraus läßt sich indessen kein Argument gegen die Anwendung des Gattungsbegriffs »Schelmenroman« ableiten. Denn daß literarische Formen sich im Lauf der Geschichte ändern, daß sie sich in neuen Varianten darstellen und neuen Inhalten öffnen, bringt der historische Prozeß notwendig mit sich. Die Möglichkeit des Überlebens literarischer Formen gründet gerade in der Flexibilität der formalen und inhaltlichen Übereinkünfte, aus denen sie sich definieren.

Wenn man den »Felix Krull« als pikareskes Werk versteht, dann kann man sich – wie schon angedeutet – auf den Autor selbst berufen. Thomas Mann bemerkt in einem späten Kommentar, der »Krull« gehöre »zum Typ und zur Tradition des pikaresken, des Abenteurer-Romans, dessen deutsches Urbild der ›Simplicius Simplicissimus‹ ist.« Allerdings wird dieser Hinweis durch die Anspielung auf andere historische Bezugspunkte ergänzt: »Grundidee« des Werkes sei »die travestierende Übertragung des Künstlertums ins Betrügerisch-Kriminelle«, aber es habe sich bei der Entfaltung dieses Motivs »zu einem vieles aufnehmenden humoristisch-parodistischen Bildungsroman« gemausert. Daß der Autor eine Mehrzahl von literarischen Gattungsbegriffen nennt (Schelmen-, Künstler- und Bildungsroman), zu denen er sein Werk in Beziehung bringt, signalisiert nicht Ratlosigkeit, Beliebigkeit oder Widersprüchlichkeit. Er macht damit vielmehr bewußt, daß der »Felix Krull« ein sehr komplexes Verhältnis zur Tradition besitzt, das sich nicht durch Verwendung eines bestimmten Etiketts befriedigend umschreiben läßt.

Der zugleich sympathische wie dubiose Held von Thomas Manns Roman nennt seine Bekenntnisse ein »Bildungswerk«. Offenbar reklamiert er damit für seine Lebensbeschreibung eine Bedeutung, die der des Bildungsromans, der repräsentativen Gattung des bürgerlichen Zeitalters, entspricht. In der Tat schildert er ja die Entwicklung eines durchaus nicht unbegabten jungen Mannes bis zu dem Punkt, an dem er seinen Lebensstil gefunden zu haben glaubt und sich erfolgreich und selbstsicher in der Welt behauptet. Allerdings gerät das »Bildungswerk« dadurch in ein zweifelhaftes Licht, daß es sich als selbstverliebter Bericht über eine Hochstapler-Karriere erweist.

Eine irritierende Besonderheit von Krulls Entwicklungsgang ist ferner, daß er seine Individualität nicht ausbildet und handelnd verwirklicht, sondern daß er sie in den verschiedenen Lebensrollen, die er übernimmt, ganz aufgehen läßt. Offenbar empfindet er kein Bedürfnis nach einer festen, durch Stand, Namen, Beruf und stabile menschliche Bindungen definierten Identität. Als ihm der Hotelchef in Paris nahelegt, sich in Zukunft nicht mehr Felix, sondern Armand zu nennen, geht Krull fast begeistert auf diesen Vorschlag ein: »Es macht mir die größte Freude, Herr Generaldirektor, meinen Namen zu wechseln.«

Im Ablegen und Annehmen der Namen und Rollen wird sichtbar, daß es in Krulls Existenz keine individuelle Substanz, kein moralisches Substrat mehr gibt, das dem Leben Kontinuität und der Person eine feste Identität verleihen könnte. Für Krull gibt es nur noch ein virtuoses, komödiantisches Sich-Darleben in verschiedenen Kostümen, – etwa in dem des Bonvivants oder dem des Kellners: »Verkleidet war ich in jedem Fall, und die unmaskierte Wirklichkeit zwischen den beiden Erscheinungsformen, das Ich-Selber-Sein, war nicht bestimmbar, weil tatsächlich nicht vorhanden.«

Der Anspruch Krulls, ein Bildungswerk zu schreiben, tritt auch in den zahlreichen moralischen Merksätzen hervor, die er an ihm passend erscheinenden Stellen in seine Darstellung einschaltet. Diese Sentenzen müssen befremden, da sie von einem Lebenskünstler wie Krull ausgesprochen werden, der vor Diebereien, Listen und Täuschungen keineswegs zurückschreckt. Krull selbst sieht jedoch kein Hindernis, seine Existenz auch vor strengen Prinzipien zu rechtfertigen. Er betont, man müsse alle seine »tätige Wirksamkeit«, die er einer anfälligen und schwachen Natur abgerungen habe, »als ein Produkt der Selbstüberwindung, ja als eine sittliche Leistung von hohem Range« würdigen. Es ist ganz offensichtlich, daß die hier benutzten Maximen der bürgerlichen Leistungsethik einen dubiosen Charakter annehmen, wenn sie zur Rechtfertigung des Hochstaplers dienen. Der moralische Ernst der Bildungsgeschichte ist durch solche Wendungen parodistisch unterlaufen.

Ähnliches gilt für die Einstellung zur Welt, die Krull demonstriert. Der Hochstapler findet nämlich nicht – wie es dem Konzept des Bildungsromans entspräche – zu einer Lebenshaltung, in der sich individueller Anspruch und Forderung der Gesellschaft in einem sinnvollen Ausgleich verbinden, sondern er stellt die Übereinstimmung mit der Welt durch perfekte Anpassung an die vorgefundenen Erwartungen, durch Mimikry, her. Krulls Ziel ist nicht Tätigkeit in der Gemeinschaft, Beschränkung um der Selbstverwirklichung willen, sondern narzißtischer Selbstgenuß in unverpflichteter Freiheit. Auf eine höchst paradoxe Weise löst er damit die fundamentale Bildungsaufgabe, sich selbst als Einzelnen in Einklang mit seiner Umwelt zu setzen.

Aus alledem wird deutlich, daß Krulls »Bekenntnisse«, so sehr sie noch Prätentionen auf den Charakter eines »Bildungswerkes« machen, sich von den geistigen Voraussetzungen des Bildungsromans entfernt haben. Es entspricht der inneren Konsequenz dieses Sinnverlusts, wenn sich das Buch – ironischerweise gegen die erklärten Absichten des Autobiographen Krull – dem Schema der Schelmengeschichte nähert. Krull erweist sich als Picaro, indem er die Rolle eines Parasiten der Gesellschaft übernimmt: Er beutet sie mit den Mitteln des Betruges und des bedenkenlosen Zugreifens aus, er fordert jedoch nie die Änderung der Machtverhältnisse oder der Besitzverteilung. Als ihn der Hoteldirektor mißtrauisch fragt, ob er sozialistische Anschauungen habe, antwortet er: »Ich finde die Gesellschaft reizend, so wie sie ist, und brenne darauf, ihre Gunst zu gewinnen.«

Meist will der Schelmenroman seinem Helden, auch wenn er ihn auf moralisch bedenklichen Wegen vorführt, die Sympathien des Lesers erhalten. Das kann geschehen, indem man seine Rechtsbrüche als Reaktion auf eine Notlage schildert oder indem man ihm nur leichtere Verfehlungen zuschreibt. Quevedos »Buscón«, der seine Hauptfigur ganz schonungslos behandelt und sie der Mißachtung preisgibt, bleibt eine Ausnahme.

Thomas Manns Roman ist offensichtlich bemüht, das Treiben seines Picaros zu entkriminalisieren. Die Jugendsünden zeugen zwar von beachtlicher Gerissenheit, aber sie wiegen nicht schwer. Später stimmt die bestohlene Madame Houpflé dem von Krull begangenen Diebstahl zu, und der Marquis, den Krull auf seiner Weltreise betrügerisch vertritt, hat den Rollentausch selbst gewünscht und versteht ihn als Freundschaftsdienst.

Es geht Krull, so sehr er ein komfortables Leben zu schätzen weiß, nicht primär um materielle Vorteile. Als ihn der steinreiche schottische Lord, der sich in Krull vernarrt hat, mitnehmen und adoptieren will, stößt er auf eine Weigerung: Ein »Instinkt« meldet sich in Krull und zwingt ihn zur Absage »zugunsten des freien Traumes und Spieles, selbstgeschaffen und von eigenen Gnaden, will sagen: von Gnaden der Phantasie.« Er spürt, daß es seinem komödiantischen Naturell nicht entspräche, sich auf eine bestimmte Identität festzulegen, auch wenn die Position, die sich ihm plötzlich verführerisch auftut, mit Privilegien ausgestattet ist. Sein Ziel ist nicht so sehr Aufstieg, Sicherheit und Besitz, sondern Selbstgenuß in einem variablen Rollenspiel außerhalb aller sozialen Festlegungen.

Hier liegt sicher eine wichtige Differenz zu den früheren Picaros, die in der Regel durch ihre Herkunft und durch ihre Mittellosigkeit in der Position des Außenseiters gehalten wurden, aus der sie mit allen Mitteln hinausstrebten. Felix Krull dagegen will in einer selbstgewählten Distanz zur Gesellschaft bleiben, weil er sich in seinem aristokratischen Selbstgefühl nicht für die Einordnung in die konventionellen Kategorien geschaffen glaubt. Andererseits führt gerade dieses Umgehen aller Festlegungen dazu, daß die Lebensgeschichte Krulls dem pikaresken Schema der episodischen Reihung folgt: Wenn der Held es ablehnt, einen festen Platz in der gesellschaftlichen Ordnung einzunehmen, dann wird seine Biographie zu einer Kette von Abenteuern in immer neuen Kulissen und mit immer neuen Akteuren werden. Thomas Mann hat diese Offenheit des pikaresken Erzählens bei der Arbeit am »Felix Krull« deutlich empfunden: »Es ist gar nicht auf ein Je-damit-Fertigwerden angelegt, man kann daran immer weiterschreiben, weiterfabulieren, es ist ein Gerüst, woran man alles mögliche aufhängen kann, ein epischer Raum zur Unterbringung von allem, was einem einfällt und was das Leben einem zuträgt.«

Krulls Außenseitertum ist begründet nicht in einem sozialen Zwang, sondern in seinem aristokratischen Selbstwertgefühl. Er empfindet sich als begnadete Ausnahmenatur und erklärt sich zum Anwalt der angeborenen Verdienste gegen die Zufälligkeit der sozialen Verhältnisse. Die Erfahrung zeige, so meint er, daß häufig stumpfe und simple Individuen bevorzugte Stellungen einnähmen. In solchen Wendungen meldet sich soziale Kritik. Krull erkennt, daß die Millionäre und die Kellner auch gut die Plätze tauschen könnten, daß es also offensichtlich eine innerlich rechtfertigende Begründung für die Verteilung der Privilegien nicht gibt. Daraus zieht er nun allerdings nicht die Folgerung, daß die bestehende Ordnung im Namen eines egalitären Prinzips umgestürzt werden müsse. Denn der Gedanke an eine Gleichheit aller wäre ihm ein Greuel. Er nimmt für sich ganz selbstverständlich die Rechte in Anspruch, die seiner exzeptionellen Person zukommen. Seine Handlungen können, da sie die Handlungen des Felix Krull sind, nicht so bewertet werden wie die seiner durchschnittlichen Mitmenschen: Was bei anderen Diebstahl wäre, läßt sich bei ihm nicht mit diesem »armseligen Wort« bezeichnen.

Das Gefühl der überlegenen Distanz gegenüber den vielen, das Bedürfnis nach einer freien Gestaltung des Lebens aus der Phantasie und die Neigung zu einem komödiantischen Rollenspiel bringen Felix Krull in eine Parallele zum Künstler. Auch der Hochstapler ist ein Virtuose des schönen Scheins. Krulls Lust am spielerischen Wechsel der Identität zeigt sich schon früh, als er seinem malenden Onkel in den verschiedensten Kostümen posiert. Zu denken ist ferner an den Bluff, mit dem man den jungen Felix als musikalisches Wunderkind präsentiert. Das Motiv des Theaters, der glanzvollen Schau, der Verklärung des Lebens im festlichen Spiel, ist in mehreren großen Szenen in den Gang der Erzählung einbezogen. Von symptomatischer Bedeutung ist der Besuch des Operetten-Theaters, den Felix an der Hand seines lebenslustigen Vaters absolviert. Daß es bei der Aufführung auf Inhalte gar nicht ankommt, zeigt sich darin, daß Krull den Titel des Stücks vergessen hat und ihm auch der Gang der Handlung nicht mehr erinnerlich ist. Bedeutungsvoll ist allein der virtuos entfaltete Bühnencharme des Hauptdarstellers Müller-Rosé, eines Sängers, der Krull völlig in seinen Bann schlägt. »Wie er damals«, so schreibt er, »die Menge und mich zu blenden, zu entzücken verstand, das gehört zu den entscheidenden Eindrücken meines Lebens.«

Bei einem Besuch in der Künstler-Garderobe, zu dem der alte Krull seinen Sohn nach der Vorstellung mitnimmt, stellt sich heraus, daß Müller-Rosé ein häßlicher und verbrauchter, ein wenig ordinärer Mann ist, daß also die ganze bezaubernde Wirkung auf kunstvoll hervorgebrachter Täuschung, auf geschickt inszeniertem Betrug beruht. Diese Entdeckung muß indessen nicht – so Krull – die Bewunderung für den Künstler mindern:

> Gebiete deinem Ekel und empfinde ganz, daß er es vermochte, sich in dem geheimen Bewußtsein und Gefühl dieser abscheulichen Pickel mit so betörender Selbstgefälligkeit vor der Menge zu bewegen, ja, unterstützt freilich durch Licht und Fett, Musik und Entfernung, diese Menge das Ideal ihres Herzens in seiner Person erblicken zu lassen und sie dadurch unendlich zu erbauen und zu beleben!

Grund dieses wunderbaren Vorgangs der Bezauberung ist das Bedürfnis der Beteiligten: Einmal das des Komödianten, zu gefallen und Beifall auf sich zu ziehen; und andererseits das Bedürfnis der Zuschauer, sich auf angenehme Weise betrügen zu lassen. Es fällt auf, daß Krull Müller-Rosés Wirkung ganz von der Seite des Künstlers her betrachtet, daß er nicht desillusioniert reagiert, als er hinter die Kulissen blickt, sondern daß seine Hochachtung für den Operettenstar noch steigt, als er dessen abstoßende Person kennengelernt hat. Krull urteilt als Kollege im Geschäft der komödiantischen Täuschung, als Fachmann in Fragen des schönen Scheins, wenn er die Leistung des Sängers aufgrund der Schwierigkeiten würdigt, denen sie abgewonnen wurde.

Es ist deutlich, daß der quasi-erotische Bezug des Operettentenors zu seinem Publikum sich in Krulls Verhältnis zur Welt spiegelt. Hier wird greifbar, was Thomas Mann mit der Formel von der »travestierenden Übertragung des Künstlertums ins Betrügerisch-Kriminelle« meinte: Wie der Künstler das Bedürfnis seines Publikums nach schönem Schein befriedigt, so auch der Hochstapler, der der Welt vorspielt, was sie sehen möchte. Eine frühe Notiz des Autors zu der Romanepisode im Operettentheater spricht den Gedanken in eindeutiger Formulierung aus: »Das Leben selbst beruht auf Betrug und Täuschung, es würde versiegen ohne die Illusion. Beruf der Kunst.«

Die Fragwürdigkeit der Kunst und des Künstlers, die sich aus solcher Affinität zum Betrug ergibt, hat Thomas Mann um 1910 sehr beschäftigt. Eine Notiz aus den Materialien zu dem geplanten Essay über »Geist und Kunst« läßt das in einer sehr scharfen Formulierung erkennen: »Das Varieté-Talent der Künstler [ist] zu jener äffischen Begabung gehörig, die vielleicht nicht nur beim Schauspieler, sondern überall, die seelische Grundlage des Künstlers ist, dieser unbändig interessanten, nie genug zu kritisierenden, die Erkenntnis immerfort reizenden Kreuzung von Lucifer und Clown.« Diese psychologisch-moralische Kritik des Künstlers, die im »Felix Krull« durch die Spiegelung im Hochstaplerisch-Kriminellen entfaltet ist, findet sich in Gedanken Nietzsches vorgeprägt, die Thomas Mann mit Sicherheit gekannt hat. Es ist nun höchst bezeichnend, daß Nietzsche die Wurzeln der künstlerischen Verstellungs- und Täuschungs-Talente in den niederen Schichten, unter den Benachteiligten und Außenseitern, ja ausdrücklich unter den Lakaien und Picaros findet:

> Ein solcher Instinkt wird sich am leichtesten bei Familien des niederen Volkes ausgebildet haben, die unter wechselndem Druck und Zwang, in tiefer Abhängigkeit ihr Leben durchsetzen mußten, welche sich geschmeidig nach ihrer Decke zu strecken, auf neue Umstände immer neu einzurichten, immer wieder anders zu geben und zu stellen hatten

> [. . .] bis zum Schluß dieses ganze von Geschlecht zu Geschlecht aufgespeicherte Vermögen herrisch, unvernünftig, unbändig wird, als Instinkt andre Instinkte kommandieren lernt und den Schauspieler, den »Künstler« erzeugt (den Possenreißer, Lügenerzähler, Hanswurst, Narren, Clown zunächst, auch den klassischen Bedienten, den Gil Blas: denn in solchen Typen hat man die Vorgeschichte des Künstlers und oft sogar die des »Genies«).

Daraus, daß Nietzsche an dieser Stelle mit Gil Blas eine Figur der pikaresken Romantradition nennt, wird man nicht folgern dürfen, Thomas Manns »Felix Krull« sei als Schelmenroman, der die Problematik des Künstlers reflektiert, eine bloße Illustration des zitierten Aphorismus. Aber man darf das Buch doch als Bestätigung von Nietzsches Zweifeln an der Figur des Künstlers lesen. Und man wird sagen können, daß die Darstellung dieses Zweifels durch die ironische Gleichsetzung von Künstler und Hochstapler mit einer gewissen Folgerichtigkeit zur Form des Schelmenromans führte: Denn im Rahmen dieses Romantypus ließ sich die parasitäre Rolle und die Charakterlosigkeit des Betrugs-Künstlers am besten darstellen.

Nun ist allerdings Krull selbst kein Künstler, und es läßt sich auch kaum behaupten, er mache aus seinem Leben ein Kunstwerk. Derlei wäre nur vertretbar, wenn man Krulls Selbstdeutung für bare Münze nehmen könnte. Dagegen spricht schon, daß seine Meinung, mit seiner Autobiographie ein »Bildungswerk« vorzulegen, als falsche Prätention durchschaubar ist. Seine einschmeichelnde Annäherung an das Lesepublikum, seine sprachliche Mimikry, die zu einer unfreiwillig komischen »Mischung aus Goethe und Gartenlaube« (K. Hermsdorf) führt, setzt Krull als Autor seiner Memoiren der Ironisierung aus. Sein literarisches Unternehmen erweist sich als neuerliche Hochstapelei, die er mit der gleichen Selbstverliebtheit durchführt wie alle früheren. Amüsant sind diese Memoiren, weil der Leser auf Schritt und Tritt die Diskrepanz bemerkt, die zwischen dem Anspruch auf Reputierlichkeit und Unvergleichlichkeit der eigenen Person einerseits und der Haltlosigkeit dieser Prätentionen andererseits besteht.

Auch seine Rolle als Menschheitsbeglücker kann Krull nicht kritisch sehen, da er jeder Form von Selbstkritik unfähig ist. So vermag er nicht zu erkennen, daß er mit seinen gefälligen Betrügereien nur die Schwächen einer morschen Gesellschaft ausnützt und daß seine parasitäre Existenz nur in einem kranken, unsicher gewordenen, labilen Lebenszusammenhang möglich ist. Die Inhaber der privilegierten Positionen spüren, daß sie nur noch äußerlich, durch eine schon brüchig gewordene Konvention legitimiert sind. In ihrer Unsicherheit brauchen sie den Trost förmlicher Bestätigung. Und dieses Bedürfnis liefert sie widerstandslos den schmeichlerischen Gefälligkeiten des Hochstaplers aus. Am deutlichsten zeigt der Roman diesen Zusammenhang in der Szene am portugiesischen Königshof, die dem angenehmen Schwätzer und Schwindler zum Dank für die Wohltat der Täuschung noch einen Orden einträgt. Das Zusammenspiel von Hochstapler und Gesellschaft, von Beglücker und täuschungssüchtigen Beglückten erweist sich somit als eine fragwürdige Symbiose. Die von Krull selbst geliebte und in harmonischen Farben gezeichnete Welt zeigt sich dem Leser des Romans in zweifelhaftem Licht: In ihrem Bedürfnis nach der Lüge tritt ihre Schwäche unwidersprechlich hervor.

Das Thema der Gesellschaftskritik, das im »Felix Krull« eine bedeutsame Rolle spielt, gehört seit je zum pikaresken Roman. Allerdings wird diese Kritik hier nicht aus der Perspektive des zur Einsicht gelangten Schelms formuliert, der sich und die Welt in ihrem wahren Wesen erkannt hat. Sondern sie ist gleichsam über den Kopf des fiktiven Memoirenschreibers hinweg, durch Ironisierung seiner Person und seiner Bekenntnisse, deutlich gemacht. Aber auch eine so sublime Art der erzählerischen Gestaltung hat einen Vorgänger in der Geschichte des pikaresken Romans: Lazarillo, der in aller Naivität seine Geschichte als sozialen Aufstieg und das dubiose Arrangement mit dem Erzpriester als Gipfel seines Glücks darstellt, betrügt sich selbst, ohne daß er es spürt. Allerdings verliert er darüber nicht – ebensowenig wie Felix Krull – die Sympathie des Lesers.

Trotz solcher und anderer Affinitäten zum älteren Schelmenroman, von denen die Rede war, ist offensichtlich, daß Thomas Mann den formalen und inhaltlichen Elementen der pikaresken Erzähltradition eine ganz neue Bedeutung abgewonnen hat. Sein »Felix Krull« ist daher die originellste und bedeutsamste Fortsetzung der Gattungsgeschichte im 20. Jahrhundert.

X

Beispiele pikaresken Erzählens in der deutschen Literatur nach 1945. Thelen: »Die Insel des zweiten Gesichts«; Grass: »Die Blechtrommel«; Späth: »Stimmgänge«.

In der neuesten, nach 1945 erschienenen deutschen Literatur haben die Kritiker eine »Wiederkehr der Schelme« registriert. Zahlreiche Romane stehen durch die Charakterisierung ihrer Protagonisten, mit ihrer Thematik und Erzählform in deutlicher Affinität zu der älteren pikaresken Tradition. Man hat diese Wiederbelebung des Schelmenromans meist als literarisches Symptom für das Krisenbewußtsein des 20. Jahrhunderts gedeutet. Denn in aller Regel richtet sich das Darstellungsinteresse der fraglichen Werke darauf, aus der Perspektive eines Außenseiters das Bild einer inhuman gewordenen, korrupten, dem Subjekt entfremdeten, als buntes Chaos erlebten Welt zu entwerfen.

Es versteht sich, daß neue Ausdrucksbedürfnisse die überlieferte Form in wesentlichen Punkten modifizieren, daß die modernen Nachfolger der älteren Picaros neuen Funktionen dienen und daß neue Züge an ihnen hervortreten. Die Erstrekkung des Gattungsbegriffs auf Romane der neuesten Literatur ist daher in vielen Fällen prekär. Aber eine liberale, nicht durch doktrinäre Festlegungen behinderte Anwendung des Gattungskonzepts verspricht ein historisch vertieftes Verständnis der modernen Texte, da sie auf solche Weise mit formal und thematisch verwandten älteren Werken in einen erhellenden Vergleich treten. Nicht ganz unbeachtlich ist endlich, daß die Autoren selbst (Thomas Mann, Thelen und Grass zum Beispiel) diesen Bezug ihrer Romane auf die pikareske Tradition deutlich empfunden haben.

Um dem Begriff ein Mindestmaß an Profil zu erhalten, sollte man jedoch von pikaresken Romanen nur dann sprechen, wenn die zentrale Figur die moralische Fragwürdigkeit und Durchtriebenheit früherer Schelme behalten hat, das heißt: wenn ihre Außenseiterschaft zu einer Art kriminellen

Geplänkels mit der etablierten Gesellschaft führt. Es scheint wenig sinnvoll, den Begriff dadurch auszuweiten, daß man auch eindeutig positiv gewertete, integre und märtyrerhafte Gestalten als »Schelme« bezeichnet und von »pikaresken Heiligen« spricht. Diese »Heiligen«, so hat man gemeint, seien als Repräsentanten der menschlichen Freiheit und als Beispiele moralischer Reinheit gegenüber einer bedrohlichen und korrupten Welt zu verstehen. Aber offensichtlich fehlen solchen Gestalten all jene Züge, die herkömmlicherweise dem Picaro beigelegt wurden. Im übrigen lassen sich gerade die neueren Romanfiguren, die immer wieder mit der pikaresken Tradition in Verbindung gebracht werden, Felix Krull etwa, der Grass'sche Oskar Matzerath oder der Vigoleis aus Thelens »Insel des zweiten Gesichts«, kaum sinnvoll als »Heilige« deuten.

Albert Vigoleis Thelens Roman »Die Insel des zweiten Gesichts« (1953) bezieht seinen Stoff aus dem Aufenthalt des Verfassers auf Mallorca zu Beginn der dreißiger Jahre. Das Buch setzt sich in eine gewisse Distanz zur Autobiographie, indem es als Helden die Kunstfigur Vigoleis in den Vordergrund schiebt, von der es ironisch abrücken kann. Gleich auf der ersten Seite des Buches spricht der Erzähler ironisch von sich und seinem »Tragelaphen« (dem »Ziegenbock-Hirsch«, also dem fabulösen Mischwesen) Vigoleis; und später bekennt er, das Alter dieses zu Erzählzwecken entworfenen Stellvertreters sei ihm unbekannt, – »obwohl ich ihn selbst aus der Taufe gehoben habe«. Ganz offensichtlich spielt der Erzähler mit mehreren Identitäten, und deshalb hat die Kritik auch gleich nach Erscheinen des Buches zu Recht festgestellt, daß Vigoleis und nicht einfach Thelen selber als Held und Chronist des Romans zu gelten habe.

Vigoleis führt sich ein als Schriftsteller, der auf seinen Ruhm noch wartet, daher einstweilen für Zeitungen arbeitet und die Bücher anderer übersetzt. Fast ohne Geld führt er mit seiner Schweizer Gefährtin Beatrice eine bohemehafte Existenz, gänzlich ungebunden, ohne bürgerlichen Beruf, oft hungernd, bisweilen am Rand der Verzweiflung, dann aber mit den kleinen Einkünften aus Gelegenheitsarbeiten von Tag zu Tag weiterlebend.

Vigoleis versteht es, mit seiner Außenseiterschaft zu kokettieren und bei allen drängenden Alltagsnöten seine optimistische Laune zu bewahren. Daß seine Existenz pikareske Züge trägt, zeigen folgende Sätze: »Ich bin immer sehr arm gewesen. Aus Armut entwickeln sich Notstände. Not macht erfinderisch und schlecht.« Er sieht sich immer wieder genötigt, zum Zweck des Überlebens hochstaplerische Listen einzusetzen, etwa die Behörden zu übertölpeln oder zu hintergehen. Als Fremdenführer sichert er sich die begeisterte Aufmerksamkeit und die Trinkgelder der Touristen mit wilden Geschichten aus eigener Erfindung.

Da er nirgendwo fest eingeordnet ist, gewinnt er Zugang zu ganz verschiedenen Milieus. Unter den zahlreichen Fremden geht er zugleich mit Millionären und verkrachten Existenzen, mit Pensionären, politischen Flüchtlingen und Künstlern um. Bei den Einheimischen findet er Kontakt zu einfachen Leuten wie zu Mitgliedern des verarmten Hochadels oder zu Kriminellen. Die vielfältigen Ausschnitte der Gesellschaft fügen sich zu einem dichtbevölkerten Panorama, dem satirische Nuancen nicht fehlen. Daneben macht sich jedoch auch eine Vorliebe fürs Skurrile und Exzentrische bemerkbar, der sich der Erzähler mit großer Fabulierlust und oft ohne Rücksicht auf die Wahrscheinlichkeit hingibt.

Daß Vigoleis seine unverfrorenen Streiche und selbst die Zeiten extremer Nöte wie den Aufenthalt in einem als Bordell dienenden Schuppen lustvoll und witzig erzählt, verstößt nicht gegen die Konventionen des pikaresken Genres. Daß er sich vielmehr im Fahrwasser dieser Erzähltradition bewegt, ist dem Erzähler deutlich bewußt, wie er in einer ganzen Reihe von Bemerkungen erkennen läßt. Im Hinblick auf einzelne Episoden spricht Vigoleis selbst von »pikaresken« Abenteuern. Und nicht ohne Stolz konstatiert er, daß ihn die brieflichen Berichte über seine Erlebnisse, die seine Freunde weiterverbreiten, zu einem der »meistgelesenen pikaresken Epistolographen der mittelmeerischen Welt« gemacht hätten.

Im letzten Drittel des umfangreichen Romans treten neue thematische Elemente in den Vordergrund: Die politische Bedrohung durch die Anhänger des Generals Franco und durch die Sendboten der in Deutschland an die Macht gelangten Nationalsozialisten wird so bösartig, daß Vigoleis und seine Gefährtin ihres Lebens nicht mehr sicher sind. Auch hier bedarf es pikarischer Talente, der List und der Frechheit, damit unter Ausnutzung einiger glücklicher Fügungen die rettende Flucht mit einem englischen Kriegsschiff gelingt.

Die Affinitäten von Thelens »Insel des zweiten Gesichts« zum pikaresken Romantypus sind unverkennbar. Sie liegen vor allem in der autobiographischen Erzählform, in der episodischen Anlage des Buches und schließlich in der Charakterisierung der Hauptfigur Vigoleis. Der Roman bedenkt die Welt mit satirischem Spott, er schildert sie aber auch mit vitaler Erzählfreude als Spielraum für den »vielseitig verkrachten«, aber zähen und pfiffigen Protagonisten. Hans Egon Holthusen hat daher gemeint (allerdings vor Erscheinen der »Blechtrommel«), Thelens Buch sei »das eigentliche Hauptwerk des schelmischen Stils« in der deutschen Nachkriegsliteratur.

Der pikareske Held des Romans behauptet sich erfindungsreich und unverwüstlich gegen eine meist feindliche Welt. Die Position des Außenseiters ist ihm allerdings nicht aufgezwungen, sondern sie ist zunächst frei gewollt: Vigoleis zieht eine bohemehafte Künstlerexistenz allen bürgerlichen Sicherheiten vor. Erst in den späteren Abschnitten der turbulenten Lebensgeschichte liegt der Grund für seine Bedrängnis in der politischen Situation, und hier finden sich daher auch die schärfsten satirischen Ausfälle des Buches.

Nach verbreiteter Meinung ist »Die Blechtrommel«, der Erstlingsroman Günter Grass' (1959), das wichtigste und eindeutigste Beispiel für die Wiederbelebung des pikaresken Erzählens in der deutschen Literatur nach 1945. Man kann sich bei einer solchen Einordnung dieses genialisch-ungebärdigen Buches auf Äußerungen des Autors berufen, der zwar einerseits feststellt: »Ganz gewiß helfen Kästchenvorstellungen wie ›der neue Schelmenroman‹ überhaupt nicht weiter«, –

der aber dann doch vor der Anwendung von Gattungsbegriffen nicht zurückschreckt: »Das Buch steht in einem ironisch-distanzierten Verhältnis zum deutschen Bildungsroman. Es kommt sehr stark von jener europäischen Romantradition her, die vom pikaresken Roman herreicht mit all seinen Brechungen [. . .], da ist der erste große Roman Grimmelshausens.«

Es mag zwar etwas irritieren, daß Grass zugleich auf die Tradition des Bildungsromans wie auf die des pikaresken Erzählens verweist, aber ganz ohne Zusammenhang sind diese beiden Varianten der Gattung Roman ja nicht. Bei Thomas Manns »Felix Krull« hat sich bereits gezeigt, wie die Auflösung der inneren Voraussetzungen des Bildungsromans zur Parodie dieser Gattung und damit unversehens in die Nähe des Schelmenromans führen kann.

Grass' Hinweis auf den pikaresken Roman und auf Grimmelshausen gründet sich auf eine Reihe wichtiger formaler Charakteristika seines Buches: Da ist die autobiographische Erzählform, da findet sich die Tendenz zu breiter epischer Welterfassung, das heißt zum panoramatischen Gesellschaftsroman, und da ist schließlich eine Hauptfigur, die am Rande der sozialen Ordnung steht und das Getriebe der Welt von einer distanzierten Position her wahrnimmt. Allerdings ist der Grass'sche Oskar Matzerath kein Picaro herkömmlicher Art. Die Figur ist schwer zu erfassen, da sie schon in der körperlichen Erscheinung, aber zumindest gleich stark im psychischen Habitus aus den Kategorien des Üblichen herausfällt. Bald spürt Oskar den Satan in sich, bald beansprucht er die Rolle Jesu; er fühlt Verwandtschaft sowohl zu Rasputin als auch zu Goethe; er zeigt sich einmal zerstörungswütig und boshaft und bekennt dann wieder seine Sehnsucht nach dem Frieden eines Krankenbettes.

Oskar ist nicht das Opfer widriger sozialer Verhältnisse oder einer unglücklichen Lebenskonstellation, durch die ihm der Kampf um Selbstbehauptung aufgezwungen würde. Vielmehr ist er ein willentlicher Outcast: Er lehnt die Welt in Bausch und Bogen ab und verweigert sich gleich nach der Geburt den Plänen seines Vaters, der ihm den Kolonialwarenladen Matzerath zugedacht hatte. Diese Weigerung gilt der Erwachsenenwelt im ganzen, denn in sie hineinzuwachsen ist für Oskar kein erstrebenswertes Ziel:

> Um nicht mit einer Kasse klappern zu müssen, hielt ich mich an die Trommel und wuchs seit meinem dritten Geburtstag keinen Fingerbreit mehr, blieb der Dreijährige, aber auch Dreimalkluge, den die Erwachsenen alle überragten, der den Erwachsenen so überlegen sein wollte, der seinen Schatten nicht mit ihrem Schatten messen wollte, der innerlich und äußerlich vollkommen fertig war, während jene noch bis ins Greisenalter von Entwicklung faseln mußten.

Die Interpreten des Grass'schen Romans sind sich meist einig darüber gewesen, daß die Bemühung um eine psychologische Analyse der Figur Oskars nicht weit führt. Ganz offensichtlich handelt es sich bei ihm nicht um eine runde, realistisch angelegte Romangestalt. Die Einführung dieser Figur ist vielmehr ein artistischer Kunstgriff, dessen Sinn darin liegt, eine bestimmte Erzählperspektive zu gewinnen. Hans Mayer hat gemeint, der Oskar der »Blechtrommel« sei »eine Kunstfigur in einem durchaus neuen und folgenreichen Sinne«; ihre Funktion liege darin, daß sie einen Standpunkt »unterhalb der menschlichen Normaldimension« festlegt, von dem aus »eine Darstellung des bösen Blicks, der Distanz, der Hinter- und Untergründe« möglich wird.

Solche Funktionalisierung der zentralen Figur ist aus der Geschichte des pikaresken Romans nicht unbekannt. Nicht selten hatte man den Schelm bestimmten Demonstrationsabsichten dienstbar gemacht: der Absicht satirischer, entlarvender Weltdarstellung zum Beispiel oder der lehrhaften Veranschaulichung einer religiösen Heilswahrheit. Die Funktion Oskars, des Gnoms mit dem bösen Blick, ist es, die Darstellung einer chaotischen Welt möglich zu machen, die alle herkömmlichen Deutungsmuster und Ordnungsvorstellungen außer Kraft setzt. Der Blick aus der Perspektive des Zwerges, die Position im Kleiderschrank und unter dem Tisch verzerren die Größenverhältnisse und enthüllen das ansonsten Verborgene. Da Oskar von wahnhaften Vorstellungen besessen ist und kaum von sozialen Bindungen gehalten wird, ist seine Wahrnehmung und erzählerische Wiedergabe der Welt nicht durch die konventionellen Wertungen und Blickgewohnheiten festgelegt. Für ihn gibt es kein taktvolles Verschweigen oder Übersehen des peinlichen Details. Im Gegenteil: Sein Blick ist fixiert auf die krude Materialität der Dinge. Gerade das sonst als widerlich Empfundene fesselt ihn, gerade das schamhaft Verschwiegene spricht er aus, das Schockierende bannt seinen Blick. Oskars Schilderung zeugt von völliger Indifferenz der moralischen Beurteilung und der emotionalen Haltung. Den Brand Danzigs genießt er als Schauspiel, erstaunt »über die sprühend lebendige Kraft, zu der sich die altehrwürdige Stadt hat aufraffen können.« Als die Nazis den jüdischen Spielzeughändler in den Tod treiben, ist Oskar vor allem um die künftige Lieferung seiner Trommeln besorgt. Allen religiösen und politischen Ideen erteilt er eine zynische Absage:

> Es sind dieselben Metzger, die Wörterbücher und Därme mit Sprache und Wurst füllen, es gibt keinen Paulus, der Mann heißt Saulus und war ein Saulus und erzählt als Saulus den Leuten aus Korinth etwas von ungeheuer preiswerten Würsten, die er Glaube, Hoffnung und Liebe nannte, als leicht verdaulich pries, die er heute noch, in immer wechselnder Saulusgestalt an den Mann bringt.

Auch wenn Oskar eine nationalsozialistische Kundgebung stört, ist das nicht Ausdruck politischer Absichten. Denn er hatte zunächst versucht, auf der Tribüne Platz zu finden, und er hält den buckligen Funktionär Löbsack für einen Abgesandten seines eigenen Meisters Bebra. Die destruktiven Aktivitäten des Blechtrommlers richten sich gegen Demonstrationen aller Art, ohne Rücksicht auf ihr politisches oder weltanschauliches Programm. Er bezeichnet sich als jemanden, »der aus privaten, dazu ästhetischen Gründen [...] Farbe und Schnitt der Uniformen, Takt und Lautstärke der auf Tribünen üblichen Musik ablehnte und deshalb auf einem bloßen Kinderspielzeug einigen Protest zusammentrommelte.« Es geht ihm seinerseits nicht um die Durchsetzung irgendeiner Wahrheit, sondern um Opposition, um Protest und Destruktion als Selbstzweck:

> Oskar saß den Roten und Schwarzen, den Pfadfindern und Spinathemden von der PX, den Zeugen Jehovas und dem Kyffhäuserbund, den Vegetariern und den Jungpolen von der Ozonbewegung unter der Tribüne. Was sie auch zu sagen, zu blasen, zu beten und zu verkünden hatten: meine Trommel wußte es besser.

Der beherrschende Zug Oskars ist diabolische Kälte und Bosheit. Schon bei der Taufe lehnt er es ab, dem Satan zu widersagen. Und später meldet sich seine Aggressions- und Zerstörungslust immer wieder, beispielsweise bei seinen heimtückischen Attacken auf die schwangere Stiefmutter und Geliebte Maria. Einige Interpreten haben versucht, Oskar wegen vereinzelter menschlicher Regungen positiver zu interpretieren. Man hat etwa geglaubt, in ihm eine »moralische Instanz« entdecken zu können, oder man wollte ihn als »einen der menschlichsten Charaktere in der ›Blechtrommel‹« sehen (V. Neuhaus). Aber solche Wertungen laufen wohl auf eine Verharmlosung des Romans und auf eine Verniedlichung des verstörten und verstörenden Oskar Matzerath hinaus, dessen diabolische, allem menschlichen Gefühl fremde Indifferenz und Bösartigkeit sich trotz gelegentlich (besonders im dritten Teil) hörbarer anderer Töne nicht leugnen lassen.

Ähnliche Vorbehalte erheben sich gegen eine Deutung der »Blechtrommel« als »Künstlerroman« und ein Verständnis Oskars als einer problematischen Künstlerfigur. Zwar wird dem Zwerg immer wieder sein virtuoses Trommel-Talent bestätigt, und dieses Trommeln ist als künstlerisches Mittel der Vergangenheitsbeschwörung dargestellt. Aber es kann nicht einleuchten, wenn Oskar bei seiner durch Trommeln angeregten Erinnerungsarbeit eine moralische Absicht unterstellt wird. Zwar wäre eine solche Intention mit den älteren pikaresken Werken in schöner Übereinstimmung. Aber es gibt kaum Indizien dafür, daß der Autobiograph Oskar in der Tat die zeitkritisch-moralische Aufgabe übernehmen will, die Erinnerung an eine Epoche wachzuhalten, die alle anderen vergessen und verdrängen.

Man hat ferner gemeint, das Unternehmen der literarischen Selbstdarstellung solle eine Schuld Oskars kompensieren, die darin liegt, daß er sich als Künstler und als »Bürger« wider bessere Erkenntnis aus den politischen Zeitläuften herauszuhalten suchte (V. Neuhaus). Aber auch diese Bedeutung imputiert der Figur Oskar Matzeraths eine Moral, die sie an keiner Stelle erkennen läßt. Die Anhaltspunkte für eine solche Deutung sind offenbar aus späteren politischen Bekenntnissen des Autors Günter Grass abgeleitet, den man indessen vom Ich-Erzähler des Romans, dem Gnom und Anstaltsinsassen Oskar, deutlich zu unterscheiden hat.

Einleuchtender ist da schon der Versuch, in der Befremdlichkeit der Erzählung, das heißt in der irritierenden Weltdarstellung durch Oskar einen Appell an den Leser zu sehen: Diesem fiele es zu, die Verzerrungen, die bizarre Vordergründigkeit der Erzählung kritisch zu korrigieren und die vorgeführte Realität einer moralisch-politischen Reflexion zu unterziehen (G. Just). Eine Interpretation, die den Grass'schen Roman auf diese Weise als »intentional kritisch« verstehen will, muß allerdings einräumen, daß sie sich nicht auf explizite Anhaltspunkte des Textes berufen kann und daß die Perspektive Oskars und seine »amoralische, apolitische, ästhetizistische Wahrnehmung der Welt« so suggestiv wirken, daß sie kritische Gedanken zu Gesellschaft und Zeitgeschichte gar nicht recht aufkommen lassen.

Dem Leser öffnet sich durch das von Grass benutzte epische Medium, durch die Augen des Ich-Erzählers Oskar der Einblick in eine chaotische, von beizenden Gerüchen, grellen Farben und grotesken Vorgängen bestimmte Welt. In ihr wird nirgendwo ein Sinn, ein organisierender innerer Zusammenhang spürbar. Man wird das so zu verstehen haben, daß der Roman an den historisch und geographisch deutlich markierten Ereignissen, die er erzählt, die Erfahrung der totalen Desillusionierung anschaulich machen will. Vor den Gewaltakten der Nazi-Herrschaft und des Krieges, aber auch vor den Kruditäten und Banalitäten der Kleinbürgerexistenz werden alle ideologischen Tröstungsversuche und Ordnungsschemata zuschanden. Der Absurdität der Welt wird das Buch dadurch gerecht, daß es auf alle Prätentionen hinsichtlich einer ideellen Bewältigung der historischen Erfahrungen verzichtet: Indem es die Perspektive des Gnoms wählt, bleiben die Dinge frei von ideologischer Überformung und Beschönigung.

Man darf nun allerdings die monströse Kunstfigur Oskar nicht zum Symbol der modernen, allen Werten und sich selbst entfremdeten Menschheit stilisieren. Man verführe dabei wie jener um Dämonie bemühte Düsseldorfer Akademieprofessor namens Kuchen, dem Oskar Modell steht und der verkündet, der bucklige Zwerg »drücke das zerstörte Bild des Menschen anklagend, herausfordernd, zeitlos und dennoch den Wahnsinn unseres Jahrhunderts ausdrückend aus.« Man darf wohl kaum darüber hinweggehen, daß der Roman eine solche vordergründige Symbolik ausdrücklich ironisiert.

Daß die Figur Oskars vor allem als artistisches Mittel zu verstehen ist, das die Perspektive der Darstellung festlegt, heißt nun allerdings nicht, daß diese Figur nicht eine bestimmte Geschichte durchlebte und kein Eigengewicht gewönne. Die älteren Picaros veränderten sich bekanntlich auf ihrem Weg durch die Welt nicht mehr, nachdem ihnen erst einmal die Lektion beigebracht worden war, daß man mit den Wölfen heulen muß. Auch bei dem Oskar der »Blechtrommel« läßt sich von einer Entwicklung, einer Reifung durch Erfahrung nicht sprechen. Schon als er in die Welt eintritt, ist er ein Wissender: »Ich gehörte zu den hellhörigen Säuglingen, deren geistige Entwicklung schon bei der Geburt abgeschlossen ist und sich fortan nur noch bestätigen muß.« Sofort faßt Oskar den lebensentscheidenden Entschluß, sich nicht auf die Welt der Erwachsenen einzulassen, sondern sich zu verweigern und mittels der Trommel eine Distanz zu den anderen zu behaupten.

Zwar kommt es später zu einer Erweiterung des Erfahrungskreises über die Danziger Kleinbürgerlichkeit hinaus; aber auch wenn Oskar den Titel eines »Kosmopoliten« für sich beansprucht, so ist er trotz einer gewissen Weltläufigkeit nicht zu einem erwachsenen Mitglied der Gesellschaft geworden. Der Versuch, den er in seiner Düsseldorfer Zeit unternimmt, sich in Beruf und Ehe fest zu etablieren, scheitert schnell an Marias Ablehnung. Oskar wendet sich dann ohne Zögern und fast erleichtert in eine bohemehafte Existenz zurück, in der er sich als Modell, als Jazzmusiker und Solotrommler am Rande der Gesellschaft aufhalten kann.

Der Tendenz zur Verweigerung, zur Ablehnung aller Integration entspricht ein starkes Bedürfnis nach Erlösung durch Rückkehr in den Mutterschoß. Oskars Sehnsucht richtet sich darauf, sich unter den Röcken der Großmutter zu bergen: Er will »bei ihr untertauchen und wenn möglich, nie wieder außerhalb ihres Windschattens atmen müssen.« Er strebt nach der »Rückkehr zur Nabelschnur« und glaubt schließlich im Frieden des Anstaltsbetts seinen »Trost« und »Glauben« gefunden zu haben.

Daß Oskar von der Heil- und Pflegeanstalt her auf seine Erfahrungen zurückblickt, begründet eine weitere Parallele zum Picaro-Roman: Auch Oskar ist eine Art Einsiedler geworden, der sich in Distanz zum Getriebe der Welt zu halten versucht und zu diesem Zweck noch das Gitter seines Bettes erhöhen lassen will. Auch wenn darin bloß eine formale Übereinstimmung mit dem »Guzmán« und dem »Simplicissimus« liegt, so bleibt die Feststellung doch interessant, daß diese Anlage der Erzählung auch in der »Blechtrommel« zu der schon früher registrierten Ambivalenz des pikaresken Erzählens führt: Die weltentrückte Position des autobiographischen Erzählers einerseits und die weltzugewandte, detailfreudige Darstellungsweise der episodenreichen Lebensgeschichte andererseits treten in einen spannungsvollen Gegensatz. Für die »Blechtrommel« heißt das: Oskars Sehnsucht nach der Geborgenheit unter den Röcken der Großmutter, seine Angst vor der Entlassung aus der Anstalt, das Erlösungsgefühl im friedlichen Krankenbett stehen in scharfem Kontrast zur epischen Weltlust, zur Dingbesessenheit der Erzählung, die sich in der anschaulichen Beschwörung bizarrer Situationen nicht genug tun kann.

Die pikaresken Strukturen, die der Grass'sche Roman zeigt, dienen einem neuen Ausdrucksbedürfnis, das zwar auch Affinitäten zu den Darstellungsabsichten früherer pikaresker Erzählwerke hat, sich aber doch im ganzen deutlich von diesen abhebt: Grass geht es offenbar darum, das Bild einer chaotischen Welt auszubreiten, die ohne jeden Versuch ideeller Überformung und Deutung als *Factum brutum* genommen wird.

Hans Mayer war der Meinung, Grass habe mit der »Blechtrommel« »den satirischen Roman eines modernen Aufklärers« geschrieben. Nun läßt sich ohne Zweifel von einer radikal anti-ideologischen Tendenz des Buches sprechen, aber es fehlt doch ebenso offensichtlich das Vertrauen auf die Vernunft, auf die Möglichkeit aktiver Gestaltung der natürlichen und gesellschaftlichen Umwelt, wie es zu einer aufklärerischen Position gehörte. Grass verzichtet mit der von ihm gewählten Erzählperspektive auf jede Möglichkeit, den Nationalsozialismus oder die Greuel des Krieges kritisch zu bewerten oder überhaupt die Welt als bewohnbaren Ort zu sehen. Kritik im Namen der Humanität kann dort nicht explizit werden, wo das erzählerische Wort an Oskar Matzerath delegiert ist.

Joachim Kaiser war es, der als erster von dem »moralischen Infantilismus«, und zwar von einem »bewußt gesetzten, kunstvollen, erbarmungslosen Infantilismus« der »Blechtrommel« gesprochen hat. Er zeigt sich in der Ablehnung aller Verantwortung, in der diabolischen Indifferenz des Erzählers und Protagonisten Oskar. Seine Haltung läßt ihn zunächst unangreifbar und überlegen erscheinen, denn er ist nie selbst in die Situation emotional verstrickt, sondern er bleibt stets scharfsichtig-sarkastischer Betrachter. Aber am Ende wird auch er vom Schrecken eingeholt: Die Welt wird ihm zum Alptraum, überall steigt bedrohlich das Gespenst der Schwarzen Köchin auf. Er fühlt sich dem »Schatten eines immer schwärzer werdenden Kinderschreckens« ausgeliefert. Damit aber ist der Infantilismus Oskars unwidersprechlich deutlich gemacht, seine scheinbare Weltüberlegenheit als gnadenloser All-Entlarver ist in ihrer Fragwürdigkeit durchschaubar geworden. Die Angst, die ihn am Ende überfällt, und die Sehnsucht nach dem Frieden im Mutterschoß sind in ihrer unreifen Hilflosigkeit noch die stärksten menschlichen Züge des Gnoms, der sich schon bei seiner Geburt von allem Menschlichen abzutrennen suchte.

Die autobiographische Erzählform, der Außenseiter-Charakter der Hauptfigur und die Absicht, ein breitangelegtes, von der Heillosigkeit der Welt zeugendes episches Panorama zu entfalten, brachten die Grass'sche »Blechtrommel« in unübersehbare formale Parallelen zur Tradition des pikaresken Erzählens. Zwar ist Oskar Matzerath kein »Schelm« im herkömmlichen Sinn, sondern durchaus ein Romanprotagonist *sui generis.* Und es fehlt auch eine explizit gegebene Bewertung der chaotischen Weltausschnitte, so daß fraglich scheinen kann, ob man überhaupt von satirischer Darstellung sprechen darf, wo es doch offenbar an jeder Norm mangelt, in deren Namen ein Unwert-Urteil ausgesprochen werden könnte. Aber trotz solcher Differenzen steht die »Blechtrommel« in Verwandtschaft zur pikaresken Romantradition, und wegen dieser Differenzen kann das Buch als originelle und äußerst vitale Verwandlung und Fortsetzung dieser Tradition gelten.

Die Kritik hat Gerold Späths Romane »Unschlecht« (1970), »Stimmgänge« (1972) und »Balzapf oder Als ich auftauchte« (1977) immer wieder im Zusammenhang mit der Überlieferung des Schelmenromans interpretiert. Eine nähere Betrachtung der »Stimmgänge« kann dazu dienen, eine solche Parallele zu bestätigen. Der Held dieses Romans, der Orgelbauer Jakob Hasslocher, erzählt seine Lebensgeschichte ganz nach Art der herkömmlichen Picaros selbst in einer fiktiven Autobiographie und zeigt auch durch die Besonderheit seines Lebensgangs manche Verwandtschaft mit den Protagonisten früherer Schelmenromane. Er tritt ohne Eltern, ohne feste

Bindung auf und diagnostiziert bei sich selbst »ein kleines, feines, kriminelles Äderchen«, das ihn immer wieder zu Taten treibt, die mit strengeren Moral- und Rechtsbegriffen nicht vereinbar wären.

Hasslochers Lebensgeschichte zeigt jene Bewegtheit und Geschehnisfülle, die für den pikaresken Roman seit jeher kennzeichnend sind. Nachdem der junge Orgelbauer von zwei Werkstätten in Unfrieden geschieden ist, bleibt er zunächst ohne feste Anstellung und muß sich mit Gelegenheitsarbeiten, beispielsweise in einer Werbekolonne für Erfrischungsgetränke, mühsam durchschlagen. Zum Außenseiter wird er vollends dadurch, daß er durch einen unglücklichen Zufall in ein Übungsschießen der Schweizer Armee hineingerät und dabei vor Schreck die Sprache verliert, so daß er sich nur noch schriftlich mit Hilfe kleiner Zettel verständlich machen kann.

Zu einer Folge von Episoden im Stil der pikaresken Erzählform kommt es, als Hasslocher versucht, eine Million Franken aufzutreiben, die er gemäß der testamentarischen Bestimmung seiner Großmutter vorweisen muß, um deren Erbschaft antreten zu können. Dieses Unternehmen ist dem Roman Anlaß für eine Revue bizarrer Figuren und exzentrischer Situationen. Eine ähnliche Episodenfolge ergibt sich, als Hasslocher, der sich als selbständiger Orgelbauer niedergelassen hat, bei der Suche nach Aufträgen und auf seinen Stimmgängen mit einer ganzen Reihe von Klöstern und Pfarrherren in Kontakt kommt.

Die Heirat hatte Hasslocher keineswegs zu einer seßhaften und beruhigten Lebensform verholfen. Seine Frau Haydée, eine junge Lehrerin, die gerade einen Zusatzkurs als Sozialarbeiterin absolvierte, hatte sich des vereinsamten jungen Stummen angenommen. In der Ehe allerdings entwickelt sie sich schnell zu einem Ausbund unersättlicher Sinnlichkeit. Gleich einer fleischfressenden Pflanze schlingt sie, wie der Roman phantasievoll schildert, die Männer mit Haut und Haaren in sich hinein. Der Ehemann zeigt sich zunächst verschreckt und verstört, beutet dann aber die Bedürfnisse seiner

Frau als Zuhälter aus und kommt der von der Großmutter geforderten Million rasch um einige Hunderttausend näher.

In der autobiographischen Erzählform, dem episodischen Aufbau und in der Charakterisierung der Hauptfigur bestehen ganz offensichtlich Verwandtschaften zum Schelmenroman. Diese Elemente dienen in Späths »Stimmgängen« als strukturgebendes Muster für ein Werk, das sein Leben aus einer unerschöpflichen erzählerischen Phantasie bezieht und dem die Sprache zum Medium eines lustvoll und witzig betriebenen Spiels wird. Es ist unverkennbar, daß die skurrilen Erfindungen und sprudelnden Wortkaskaden weithin zum amüsanten Selbstzweck werden. Ganz offensichtlich ist hier keineswegs Sozialkritik oder die Darstellung erfahrbarer Wirklichkeit angestrebt. Späths Erzählen legitimiert sich nicht durch moralische oder politische Absichten, sondern aus dem originären Recht der poetischen Einbildungskraft, der Phantasie, des erzählerischen Spieltriebs.

Allerdings läßt auch ein solches, scheinbar unverpflichtetes Werk eine affektive, von Wertungen gefärbte Grundhaltung spürbar werden, die dem Autor aus seiner Lebenserfahrung zugewachsen ist und die der Leser auf seine Wirklichkeit zurückbezieht. Wenn Späths »Stimmgänge« das Panorama einer wilden, farbigen, krausen Welt entwerfen, in der chaotische und monströse Aspekte vorherrschen, so macht sich darin eine skeptische und resignierte Einstellung geltend, ja nicht selten ein Pessimismus, der zu der erzählerischen Wollust an der Vielfalt und Buntheit der erzählten Welt in ein spannungsvolles Verhältnis tritt. Von exemplarischer Bedeutung ist die Szene, als der junge Hasslocher versucht, mit bloßen Händen eine Forelle zu fangen:

> Ein schönes Fischlein war's. Aber sie glitschte mir aus den Fingern, die verdammte Forelle, und flitzte davon: ein dunkler, schneller Schatten. Alles bachab an jenem Tag und die Forelle zuckend bachauf [. . .]. Ich wusste damals noch nicht, dass man von Abstrichen lebt, nein, wusste ich nicht [. . .]. Ich hatte eine Ahnung von Einsamkeit, zum erstenmal,

> plötzlich dort am Flüsschen. Aber ich ahnte natürlich nicht, dass es am Ende kaum noch reicht, denen, die schon wieder nachstossen mit aller Kraft, halb heiser zuzurufen, sie sollen sich anstrengen und besinnen, und immer sollten sie daran denken, dass wir dagewesen sind, wir und wir und wir und die andern vor uns, vor ihnen, vor allen . . .

Daß die Desillusionierung auch positive Wirkungen haben kann, wird sichtbar, als Hasslocher sich von dem Gedanken an die großmütterliche Erbschaft löst. Er begreift, daß man das Leben nicht auf vage Hoffnungen ausrichten darf, sondern daß man es auf eigene Anstrengungen gründen muß. So schlägt er sich die Erbschaft aus dem Kopf, macht aus dem bis dahin pietätvoll als Reliquie aufbewahrten Knochen der Großmutter Leim für eine Orgel-Reparatur und benutzt die Blätter des Testaments als Packpapier.

Allerdings entgeht der Mensch durch solche Besinnung auf produktive Tätigkeit nicht dem allgemeinen Schicksal der Vergänglichkeit. Hasslocher bezieht diesen Gedanken ausdrücklich auf sich, wenn er seinen Lebensbericht mit den Sätzen schließt:

> Ich soll – wem wohl? etwas Hasslochisches für die Zeit nach seinem Ende bauen. Meinetwegen. Jeder Zeit ihre Orgel! Ich werde aber einen kleinen Leierkasten machen; vielleicht findet sich hernach einer, der darauf ein neues Lebensliedlein dreht.

Die aus dem pikaresken Erzählen übernommenen Elemente können die unerhörte Stoff-Fülle, die Späth in seinem Roman hineingearbeitet hat, nicht hinreichend ordnen und gliedern. Er hat daher versucht, sein höchst heterogenes und überreiches Material durch Motiv-Verknüpfungen und ein Netz von Verweisungen zu einem einheitlichen Ganzen zu formen. Allerdings scheint dieses kunstvoll angelegte System nicht stark genug ausgebaut, um den Massen des Erzählstoffs eine deutlich wahrnehmbare Einheit zu geben. Ähnliches gilt für die auf Symmetrie bedachte Gliederung des Romans in drei

Teile mit jeweils 26 Kapiteln. Das Buch gewinnt dadurch zwar eine klare und vom Erzähler spielerisch befolgte Einteilung; aber dieser Versuch, den vielfältigen, amorphen, brodelnden Stoff zu überformen und strenger zu ordnen, bleibt der epischen Entwicklung des Werks letztlich doch äußerlich.

Diese Bemerkungen zur Komposition der »Stimmgänge« dürfen jedoch nicht als kritischer Einwand gegen das Buch verstanden werden. Indem Späth seinen Roman in das Zeichen einer eruptiven Phantasie und einer ungehemmten erzählerischen Spielfreude stellt, verpflichtete er sich geradezu, die üblichen formalen Schemata zu durchbrechen und das Werk planvoll verwildern zu lassen. Bemerkenswert ist, daß bei diesem Unternehmen bestimmte Konventionen des pikaresken Romans erkennbar bleiben. Späth benutzt sie wohl deshalb, weil sie eine liberale, zur Verknüpfung heterogener Materialien geeignete und nicht auf eine bestimmte Funktion fixierte Form begründen. Bei ganz formaler Betrachtung können Späths Absichten als mit denen vieler Picaro-Romane identisch erscheinen: Es geht ihm um die Darbietung eines aus vielen Episoden zusammengesetzten Welt-Panoramas, wobei eine Außenseiter-Figur als Medium der epischen Verknüpfung und Vermittlung dient. Allerdings heben sich die »Stimmgänge« mit ihren phantastisch-spielerischen Elementen von den meisten älteren pikaresken Erzählwerken ab. Das Buch erscheint daher – ähnlich wie die »Blechtrommel« – als eine Fortentwicklung und Umfunktionierung des Schelmenromans.

Obwohl sich im Text des Romans keine Hinweise auf literarische Vorbilder finden, ist ganz unverkennbar, daß Späth sich vor allem an Günter Grass orientiert. Abzulesen ist das an bestimmten thematischen Vorlieben, etwa an der handfesten, oft burlesken Schilderung sexueller Vorgänge oder an der Neigung, durch unverblümte Darstellung des Ekelhaften schockartige Effekte zu erzielen und dem Katholizismus mit blasphemischer Respektlosigkeit zu Leibe zu rücken. Beide Autoren lieben es, ihre Erzählung durch phantastische Momente zu bereichern: Oskars Talent, Glas zu zersingen, findet in Haydées unheimlicher Fähigkeit, ganze Männer zu verschlingen und zu verdauen, eine Entsprechung. Auch in der Erzählsituation sind Übereinstimmungen mit der »Blechtrommel« erkennbar: Matzerath schreibt in der Heilanstalt, Hasslocher verfaßt den größten Teil seiner Erinnerungen in einem Krankenhausbett. Eine Parallele liegt auch darin, daß die beiden zentralen Figuren in ihrer menschlichen Natur beschädigt und dadurch in eine Außenseiterposition geraten sind: Oskar ist ein Gnom, Hasslocher bleibt lange seiner Sprache beraubt und ist deshalb isoliert. Was in Späths Roman fehlt, ist vor allem der bei Grass spürbare Bezug auf die Zeitgeschichte. Die »Stimmgänge« bleiben gegenüber der »Blechtrommel« unverpflichteter, sie finden im Spiel einer wuchernden Erzählphantasie ihr Genüge.

Es ist nicht möglich, an dieser Stelle die neuere erzählende Literatur in ihrer ganzen Breite auf pikareske Elemente hin durchzumustern. Nach weiteren einschlägigen Beispielen müßte man indessen kaum lange suchen. Zu denken ist etwa an Paul Pörtners »Tobias Immergrün« (1962) oder an Heinz Küppers »Simplicius 45« (1963). Aus der DDR-Literatur wären Texte wie Erwin Strittmatters »Wundertäter« (drei Bände, 1957, 1973, 1980) und Hermann Kants »Aufenthalt« (1977) in die Betrachtung einzubeziehen. Eine Reihe neuerer Bücher setzt sich mit dem Untertitel »Schelmenroman« ausdrücklich in Bezug zur pikaresken Tradition, so zum Beispiel August Kühns »Jahrgang 22« (1977) und Peter Paul Zahls »Die Glücklichen« (1979).

Die Beispiele zeigen, daß die Formel von der »Wiederkehr der Schelme« nicht ohne Grund geprägt worden ist. Offensichtlich haben sich der traditionsreichen Gattung in der Moderne neue thematische und formale Perspektiven erschlossen. Allerdings hat es sich bislang noch als schwierig erwiesen, diese Möglichkeiten systematisch zu erfassen und den Typus des neuen Schelmenromans deutlicher zu beschreiben.

Daß der pikareske Roman auch in Zukunft weiter floriert, ist gut vorstellbar, da die soziale Entwicklung Lebensformen hervorbringt, in denen sich das Verhältnis des Einzelnen zur

Gesellschaft pikaresken Mustern nähert. Ernst Jünger ist das bereits 1966 bei einem Aufenthalt in Korsika aufgefallen. In seinem Tagebuch notiert er über die langhaarigen Lebenskünstler, die er beobachtet:

> Als Einwanderer sind sie wenig geschätzt oder sogar gefürchtet [. . .]. Verbindet sich Mittellosigkeit mit konsequentem Nichtstun, dann stellen sich bald Motive für den Schelmenroman ein. Das läßt sich im Süden leichter durchhalten.

Solche Beobachtungen legen die Vermutung nahe, daß die Geschichte des pikaresken Erzählens noch nicht abgeschlossen ist: Die soziale Krise der Gegenwart läßt Lebenshaltungen hervortreten, die zu ihrer literarischen Gestaltung die pikareske Form geradezu fordern.

BIBLIOGRAPHISCHER ANHANG

Eine Orientierung in der reichen Literatur zum pikaresken Roman erlauben einige Spezial-Bibliographien. Vgl. J. L. Laurenti: *Bibliografía de la literatura picaresca: Desde sus orígines hasta el presente.* Metuchen, New Jersey 1973; ferner J. Ricapito: *Bibliografía razonada y anotada des las obras maestras de la novela picaresca española.* Madrid 1976. Eine ausführliche Bibliographie enthält auch der Sammelband von H. Heidenreich: *Pikarische Welt. Schriften zum europäischen Schelmenroman.* Darmstadt 1969.

Die wichtigsten spanischen Schelmenromane sind gesammelt in dem monumentalen Band *La novela picaresca española.* Hg. v. A. Valbuena y Prat, Madrid 1956. Eine deutsche Übersetzung der vier wohl wichtigsten Werke *(Lazarillo, Guzmán, El Buscón, Marcos de Obregón)* bietet die von H. Baader betreute Ausgabe *Spanische Schelmenromane.* Zwei Bände, München 1964/65. Eine vergleichbare Sammlung deutscher pikaresker Erzählwerke existiert nicht.

Als Einführung in den spanischen Schelmenroman kann das instruktive Nachwort H. Baaders zu der erwähnten Textausgabe dienen. Nützlich ist ferner H. Baader: *Der spanische Roman im Goldenen Zeitalter.* In: Neues Handbuch der Literaturwissenschaft. Bd. 9/10. Frankfurt 1972. S. 82 ff.

Einen materialreichen und anregenden Überblick über die Gattungsgeschichte vermittelt R. Bjornson: *The Picaresque Hero in European Fiction.* Madison 1977. Eine knappere Darstellung bietet H. Sieber: *The Picaresque.* London 1977 (The Critical Idiom 33). Auch wenn manche seiner Thesen Widerspruch gefunden haben, bleibt die Arbeit A. A. Parkers aufschlußreich: *Literature and the Delinquent. The Picaresque Novel in Spain and Europe.* Edinburgh 1967. Wichtig zum Überblick über die Anfänge der Gattung ist immer noch der Aufsatz von H. Petriconi: *Zur Chronologie und Verbreitung des spanischen*

Schelmenromans. In: Volkstum und Kultur der Romanen I (1928), S. 324ff. (Nachdruck in PW, S. 61ff.).

Die Deutung des spanischen Schelmenromans im Zusammenhang mit der diskriminierten Stellung der Neuchristen jüdischer Abstammung geht auf Américo CASTRO zurück, vgl. dessen Arbeiten *De la edad conflictiva. Crisis de la cultura española en el siglo XVI.* 3. Aufl. Madrid 1972 und: *Perspectiva de la novela picaresca.* In: A. C.: Hacia Cervantes. Madrid 1967, S. 118ff. (dt. Übers. in PW, S. 119ff.). Dieser Ansatz ist vor allem von M. BATAILLON aufgenommen und weitergeführt worden, vgl. den Aufsatz *Les Nouveaux Chrétiens dans l'essor du roman picaresque.* Neoph. 48 (1964) 283ff. Auch deutsche Kritiker haben sich dieser Interpretation angeschlossen, vgl. etwa H. G. RÖTZER: *Picaro – Landtstörtzer – Simplicius. Studien zum niederen Roman in Spanien und Deutschland.* Darmstadt 1972. Vgl. ferner A. STOLL: *Wege zu einer Soziologie des pikaresken Romans.* In: H. Baader u. E. Loos (Hg.): Spanische Literatur im Goldenen Zeitalter. Fs. f. F. Schalk. Frankfurt 1973, S. 461ff. Ganz allgemein im Zusammenhang mit der krisenhaften Situation Spaniens im 16. und 17. Jh. wird die Entstehung des Picaro-Romans gedeutet bei J. L. LAURENTI: *Observaciones sobre el contagio y la exaltación de la vida picaresca en el Barroco.* In: J. L. L.: Estudios sobre la novela picaresca española. Madrid 1970, S. 23ff. Die Versuche, den spanischen Picaro-Roman in einen Zusammenhang mit der entstehenden kapitalistischen Gesellschaft und mit dem Aufstieg des Bürgertums zu bringen, sind über vage und schwach fundierte Hypothesen nicht hinausgekommen. Vgl. etwa F. BRUN: *Pour une interprétation sociologique du roman picaresque.* In L. Goldmann u. a. (Hg.): Littérature et société. Problèmes de méthodologie en sociologie de la littérature. Brüssel 1967, S. 126ff.; oder D. ARENDT: *Der Schelm als Widerspruch und Selbstkritik des Bürgertums. Vorarbeiten zu einer soziologischen Analyse der Schelmenliteratur.* Stuttgart 1978.

Aus der umfangreichen Literatur zum *Lazarillo de Tormes* verdienen die Arbeiten zu Herkunft und Funktion der autobiographischen Erzählform besondere Aufmerksamkeit. Vgl. H. R. JAUSS: *Ursprung und Bedeutung der Ich-Form im »Lazarillo de Tormes«.* RJb VIII (1957) 290 ff.; M. KRUSE: *Die parodistischen Elemente im »Lazarillo de Tormes«* RJb X (1959) 292 ff.; F. LÁZARO CARRETER: *La ficción autobiográfica en el »Lazarillo de Tormes«.* In: H. Flasche (Hg.): Litterae Hispanae et Lusitanae. München 1968, S. 195 ff.; H. BAADER: *Noch einmal zur Ich-Form im »Lazarillo de Tormes«.* RF 76 (1964) 437 ff.

Zur Frage der Naivität des Erzählers Lazarillo vgl. die abwägende Erörterung bei R. BJORNSON: *The Picaresque Hero in European Fiction.* Madison 1977, S. 36 ff. M. MOLHO versucht in seiner Einführung zu den *Romans picaresques espagnols,* Paris 1968, plausibel zu machen, daß der *Lazarillo* nur ein destruktives Spiel des Witzes inszeniere: »La *Vie de Lazare* se présente dès lors comme un jeu d'esprit, cocasse et cruel, qui détruit toute chose et, dans un sourire, se détruit lui-même« (S. XL). Als zynischen Betrüger interpretiert den Autobiographen Lazarillo G. A. SHIPLEY: *The Critic as Witness for the Prosecution: Making the Case against Lázaro de Tormes.* PMLA 97 (1982) 179 ff. Dieser Aufsatz unternimmt es zugleich, die bewußte und kunstvolle Komposition des *Lazarillo* deutlich zu machen. Zu diesem Problem vgl. schon F. C. TARR: *Literary and Artistic Unity in the »Lazarillo de Tormes«.* PMLA 42 (1927) 404 ff. (dt. Übers. in PW, S. 15 ff.).

Zu den Quellen des *Guzmán de Alfarache* vgl. die Untersuchung von E. CROS: *Protée et le gueux. Recherches sur les origines et la nature du récit picaresque dans »Guzmán de Alfarache«.* Paris 1967. Die theologischen Implikationen des Romans hat analysiert (und als die des nachtridentinischen Katholizismus identifiziert) E. MORENO BÁEZ: *Lección y sentido del »Guzmán de Alfarache«.* Revista de Filología Española, Anejo XL (1948).

Zu den neueren Interpretationsansätzen zur *Pícara Justina* vgl. M. BATAILLON: *La picaresca. Á propos de »La Pícara Justina«.* In: Wort und Text. Fs. f. Fritz Schalk. Frankfurt 1963, S. 233 ff. (dt. Übs. in PW, S. 412 ff.).

Zur conceptistischen Sprache von Quevedos *El Buscón* vgl. L. SPITZER: *Zur Kunst Quevedos in seinem »Buscón«.* Archivum Romanicum XI (1927) 511 ff. (teilweise in PW, S. 40 ff.). Zu der Frage, ob neben dem conceptistischen Spiel des Witzes auch noch eine moralische Intention wirksam ist, vgl. die im Streit der Interpreten vermittelnde Position R. BJORNSONS: *The Picaresque Hero in European Fiction.* Madison 1977, S. 267ff. H. G. RÖTZER will in der aristokratischen Abwertung des Picaro einen »historischen Rückschritt« gegenüber *Lazarillo* und *Guzmán* sehen, vgl. *›Novela picaresca‹ und ›Schelmenroman‹. Ein Vergleich.* GRM Beiheft 1 (1979) 48.

Grundlegend für die neuere Diskussion um den Gattungsbegriff des pikaresken Romans ist die Abhandlung von C. GUILLÉN: *Toward a Definition of the Picaresque.* In C. G.: Literature as System. Princeton 1971, S. 71ff. (dt. Übs. in PW, S. 375ff.). Weitere wichtige Beiträge stammen von U. WICKS: *The Nature of Picaresque Narrative: A Modal Approach.* PMLA 89 (1974) 240ff.; H. SIEBER: *The Picaresque.* London 1977. Vgl. auch das Einleitungskapitel des schon erwähnten Buches von R. BJORNSON: *The Picaresque Hero in European Fiction.* Madison 1977. Hier ist besonders betont, daß die Schelmengeschichten zur Illustration höchst unterschiedlicher Ideologien und Moralsysteme verwendet worden sind.

Für einen auf die spanischen Texte eingeschränkten Gattungsbegriff setzt sich nachdrücklich ein H. G. RÖTZER: *›Novela picaresca‹ und ›Schelmenroman‹. Ein Vergleich.* GRM Beiheft 1 (1979), 30ff. Daß man nur bis zur zweiten Hälfte des 18 Jh. von pikaresken Romanen sprechen sollte, weil sich später nur noch einzelne pikareske Elemente in ansonsten ganz anders angelegten Werken fänden, ist die Meinung von R. ALTER: *Rogue's Progress. Studies in the Picaresque Novel.* Cambridge, Mass. 1964. Eine Ausweitung des Gattungskonzepts durch den Begriff des »pikaresken Heiligen« hat R. W. B. LEWIS vorgeschlagen, vgl. dessen Buch *The Picaresque Saint. Representative Figures in Contemporary Fiction.* New York 1959. An diese Position hat sich offenbar angeschlossen W. VAN DER WILL: *Pikaro heute. Metamorphosen des Schelms bei Th. Mann, Döblin, Brecht, Grass.* Stuttgart 1967. Als Beispiel für die Bemühung um den Begriff eines »neopikaresken Romans« wäre zu nennen B. SCHLEUSSNER: *Der neopikareske Roman. Pikareske Elemente in der Struktur moderner englischer Romane 1950–1960.* Bonn 1969.

Mit der Druckgeschichte und der Ausbreitung des spanischen Schelmenromans hat sich C. GUILLÉN beschäftigt: *Genre and Countergenre: The Discovery of the Picaresque.* In C. G.: Literature as System. Princeton 1971, S. 135 ff. Die frühen deutschen Adaptionen der spanischen Texte hat H. G. RÖTZER detailliert untersucht, vgl. *Picaro – Landtstörtzer – Simplicius. Studien zum niederen Roman in Spanien und Deutschland.* Darmstadt 1972. Eine konzise Übersicht bietet E. P. WIECKENBERG in seinem Artikel *Romanzo picaresco.* In: Dizionario critico della letteratura tedesca. Bd. II. Turin 1976, S. 990 ff.; aus der älteren Literatur bleibt die Arbeit von W. BECK zu erwähnen: *Die Anfänge des deutschen Schelmenromans.* Zürich 1957.

Wertvoll zur Einführung in die Beschäftigung mit Grimmelshausen ist das Materialienbuch von G. WEYDT: *Hans Jacob Christoffel von Grimmelshausen.* Stuttgart 1971. Über das Verhältnis Grimmelshausens zum spanischen Picaro-Roman vgl. G. HOFFMEISTER: *Grimmelshausens »Simplicissimus« und der spanisch-deutsche Schelmenroman.* Daphnis V (1976) 275 ff.; dort findet sich die Feststellung, daß die Erörterung des Problems oft durch die »unzureichende Kenntnis der Originale und der umgearbeiteten Übersetzungen« behindert wurde. Das gilt keinesfalls für die Arbeit von H. G. RÖTZER, der gleichwohl die Verwandtschaft des *Simplicissimus* zu den älteren Picaro-Romanen nur für oberflächlich hält, vgl. *Picaro – Landtstörtzer – Simplicius.* Darmstadt 1972, S. 141. Zum Einfluß der deutschen Adaptionen vgl. a. a. O., S. 129 ff. Die Lehre vom mehrfachen Schriftsinn wurde für die Deutung des *Simplicissimus* fruchtbar gemacht durch C. HESELHAUS: *Grimmelshausen, Der abenteuerliche Simplicissimus.* In: B. v. Wiese (Hg.): Der deutsche Roman Bd. I. Düsseldorf 1963, S. 15 ff. An ihn knüpft an H. GERSCH: *Geheimpoetik. Die »Continuatio des abentheuerlichen Simplicissimi« interpretiert als Grimmelshausens verschlüsselter Kommentar zu seinem Roman.* Tübingen 1973. Als »typologische Konstruktion« ist der Lebenslauf des Simplicius aufgefaßt bei P. TRIEFENBACH: *Der Lebenslauf des Simplicius Simplicissimus. Figur – Initiation – Satire.* Stuttgart 1979. Der Zahlensymbolik hat zentrale Bedeutung zugewiesen S. STRELLER: *Grimmelshausens »Simpli-*

cianische Schriften«. Allegorie, Zahl und Wirklichkeitsdarstellung. Berlin 1957. Zur astrologischen Deutung sind zu vergleichen: G. Weydt: *Nachahmung und Schöpfung im Barock. Studien um Grimmelshausen.* Bern/München 1968. H. Rehder: *Planetenkinder: Some Problems of Character Portrayal in Literature.* The Graduate Journal VIII (1968) 69 ff. K. Haberkamm: *»Sensus astrologicus«. Zum Verhältnis von Literatur und Astrologie in Renaissance und Barock.* Bonn 1972. Vorbehalte gegen die Verabsolutierung der astrologischen Deutung bei R. Tarot: *Nosce te ipsum. Lebenslehre und Lebensweg in Grimmelshausens »Simplicissimus Teutsch«.* Daphnis V (1976), 506. Entschiedene Ablehnung von Weydts Ansatz bei B. L. Spahr und G. Lemke in ihren Arbeiten in Argenis I (1977), 7 ff. und 63 ff.; ihnen antwortete Weydt mit dem Aufsatz *Und sie bewegen sich (leider?) doch!* Argenis II (1978) 3 ff.

Zur historischen Präzisierung des theologischen Gehalts des *Simplicissimus* vgl. P. B. Wessels: *Göttlicher Ordo und menschliche Inordinatio in Grimmelshausens »Simplicissimus Teutsch«.* In: Fs f. J. Quint. Bonn 1964, S. 263 ff. Über die Verwendung der autobiographischen Erzählform siehe J. H. Petersen: *Formen der Ich-Erzählung in Grimmelshausens Simplicianischen Schriften.* ZfdtPh 93 (1974), 481 ff. Die personale Qualität des Protagonisten erörtern mit höchst unterschiedlichen Resultaten G. Rohrbach: *Figur und Charakter. Strukturuntersuchungen an Grimmelshausens »Simplicissimus«.* Bonn 1959 und G. Mayer: *Die Personalität des Simplicius Simplicissimus.* ZfdtPh 88 (1969) 497 ff. Zu dem rätselhaften Titelkupfer der Erstausgabe gibt es eine ganze Reihe von Einzeluntersuchungen mit höchst divergierenden Thesen. Vgl. neuerdings J. R. Paas: *Applied Emblematics. The Figure on the »Simplicissimus«-Frontispiece and its Places in Popular Devil-Iconography.* CollGerm XIII (1980) 303 ff.

Zum Problem der belehrenden Intention der *Landstörtzerin Courasche* vgl. H. A. Arnold: *Moralisch-didaktische Elemente und ihre Darstellung in Grimmelshausens »Courasche«* ZfdtPh 88 (1969) 521 ff. Ferner H. Büchler: *Studien zu Grimmelshausens »Landstörtzerin Courasche«.* Bern/Frankfurt 1971. Daß die Verbindung moralisch-religiöser Belehrung und profaner Schelmen-Erzählung in der *Courasche* mißlungen sei, ist die These von J. LEFEBVRE: *Didaktik und Spiel in Grimmelshausens »Courage«.* Simpliciana II (1980) 31 ff. Zur Aufschlüsselung der allegorischen Bedeutung des Romans vgl. M. FELDGES: *Grimmelshausens »Landstörtzerin Courasche«. Eine Interpretation nach der Methode des vierfachen Schriftsinns.* Bern 1969. Zur astrologischen Deutung vgl. K. HABERKAMM: *»Sensus astrologicus« auch in Grimmelshausens Courasche?* Daphnis V (1976) 343 ff. G. WEYDT: *Zur Planetenstruktur der »Courage«.* Simpliciana II (1980) 37 ff.

Zur Romangeschichte des späteren 17. Jh. hat grundlegende Arbeit geleistet A. HIRSCH: *Bürgertum und Barock im deutschen Roman.* 3. Aufl. Köln/Wien 1979 (zuerst 1934); auf Hirsch geht die Formel von der »Verbürgerlichung des Picaro« zurück. Zum Einfluß französischer und englischer Muster liegen eine Reihe spezieller Untersuchungen vor, vgl. etwa H. G. RÖTZER: *The English Rogue in Deutschland.* Argenis II (1978) 229 ff.; D. REICHARDT: *Von Quevedos »Buscón« zum deutschen »Aventurier«.* Bonn 1970.

Die literaturwissenschaftliche Beschäftigung mit Johann Beer beginnt mit R. ALEWYNS Untersuchung *Johann Beer. Studien zum Roman des 17. Jh.* Leipzig 1932. Eine spätere Zusammenfassung bietet der Aufsatz R. ALEWYNS: *Johann Beer.* In: R. A.: Probleme und Gestalten. Frankfurt 1974, S. 59 ff. Aus der neueren Literatur sind bedeutsam J. J. MÜLLER: *Studien zu den Willenhag-Romanen Johann Beers.* Marburg 1965; M. KREMER: *Die Satire bei Johann Beer.* Köln 1964. Vgl. auch das umfangreiche Beer-Kapitel in H. GEULEN: *Erzählkunst der frühen Neuzeit.* Tübingen 1975, mit allerdings problematischen Überlegungen zum »realistischen Charakter« von Beers Erzählen (vgl. S. 275 ff.). Zu den Modifikationen des pikaresken Romans im Übergang zur Aufklärung vgl. A. HIRSCH: *Barockroman und Aufklärungsroman.* Et. Germ. IX (1954) 97 ff.

Einen Überblick über die Autobiographie des 18. Jh. und über deren pikareske Varianten ermöglicht R. R. WUTHENOW: *Das erinnerte Ich. Europäische Autobiographie und Selbstdarstellung im 18. Jh.* München 1974. Zur Entwicklung des autobiographischen Genres der »abenteuerlichen Lebensgeschichte« vgl.

G. NIGGL: *Geschichte der deutschen Autobiographie im 18. Jh.* Stuttgart 1977. Zu Heines *Schnabelewopski* vgl. M. WINDFUHR: *Heines Fragment eines Schelmenromans »Aus den Memoiren des Herrn von Schnabelewopski«.* Heine-Jb VI (1967) 21 ff.

Zum pikaresken Roman des 20. Jh. liegen eine Reihe von Einzeluntersuchungen vor, die bisweilen mit sehr vagen Gattungskriterien operieren. Vgl. W. SCHUMANN: *Wiederkehr der Schelme.* PMLA 81 (1966) 467 ff. W. VAN DER WILL: *Pikaro heute. Metamorphosen des Schelms bei Thomas Mann, Döblin, Brecht, Grass.* Stuttgart 1967. R. DIEDERICHS: *Strukturen des Schelmischen im modernen deutschen Roman.* Düsseldorf/Köln 1971. N. SCHÖLL: *Der pikarische Held. Wiederaufleben einer literarischen Tradition seit 1945.* In: Th. Köbner (Hg.): Tendenzen der deutschen Literatur seit 1945. Stuttgart 1971, S. 302 ff. Schöll rechnet fast die ganze wichtigere neue Romanproduktion zum pikaresken Genre, so z.B. Werke Bölls, S. Lenz', Walsers, Grass'.

Zu Thomas Manns *Felix Krull* und dessen pikaresken Elementen vgl. O. SEIDLIN: *Pikareske Züge im Werk Thomas Manns.* In: O. S.: Von Goethe zu Th. Mann. Göttingen 1963, S. 162 ff. K. HERMSDORF: *Thomas Manns Schelme.* Berlin 1968. H. MAYER: *Felix Krull und Oskar Matzerath. Aspekte des Romans.* In: H. M.: Das Geschehen und das Schweigen. Frankfurt 1969, S. 35 ff. K. L. SCHNEIDER: *Thomas Manns »Felix Krull«. Schelmenroman und Bildungsroman.* In: V. Günther u. a. (Hg.): Untersuchungen zur Literatur als Geschichte. Fs. f. B. v. Wiese. Berlin 1973, S. 545 ff.

Zur *Blechtrommel* von Günter Grass liegt eine Fülle von Untersuchungen vor. Eine bibliographische Übersicht gibt V. NEUHAUS: *Günter Grass.* Stuttgart 1979. Im hier verfolgten Zusammenhang sind interessant: G. JUST: *Darstellung und Appell in der »Blechtrommel« von G. Grass.* Frankfurt 1972. M. KREMER: *G. Grass, Die Blechtrommel und die pikarische Tradition.* GQ 46 (1973) 381 ff. H. E. BEYERSDORF: *The Narrator as Artful Deceiver: Aspects of Narrative Perspective in »Die Blechtrommel«.* GR 55 (1980) 129 ff. V. NEUHAUS: *Günter Grass: Die Blechtrommel.* München 1982.

ABKÜRZUNGEN

Coll.Germ.	Colloquia Germanica
Et.Germ.	Etudes Germaniques
Fs	Festschrift
GQ	German Quarterly
GR	Germanic Review
GRM	Germanisch-Romanische Monatsschrift
Jb	Jahrbuch
Neoph	Neophilologus
PMLA	Publications of the Modern Language Association of America
PW	H. Heidenreich: Pikarische Welt. Schriften zum europäischen Schelmenroman. Darmstadt 1969.
RF	Romanische Forschungen
RJb	Romanistisches Jahrbuch
ZfdtPh	Zeitschrift für deutsche Philologie